Des lauriers
pour Momo

tempo

Retrouvez le personnage de Momo dans d'autres histoires :

Momo, petit prince des Bleuets, coll. «Tempo», Syros, 2006

Momo des Coquelicots, coll. «Tempo», Syros, 2010

Couverture illustrée par Beatrice Alemagna

ISBN : 978-2-74-851224-3
© Syros, 2012

Yaël Hassan

Des lauriers
pour Momo

SYROS

Ce livre n'aurait pu être écrit sans le formidable accueil que m'a réservé la direction de l'internat de Sourdun, à savoir :

M. Lociciro, proviseur,

M. Gallerand, proviseur adjoint,

M. Lours, proviseur adjoint.

Je remercie également les CPE, Clémentine Drouhin, Émilie Pelissou et Benjamin Sciabbarrasi, et l'ensemble de l'équipe administrative, qui ont facilité mon séjour et mes déplacements, ainsi que l'assistante sociale Christel Albertelli pour le temps passé à répondre à mes questions.

Un grand merci aux enseignants qui m'ont permis d'assister à leurs cours, et tout particulièrement à Mme Rossignol, le professeur de français de la classe de cinquième, et à Mme Plisson, la documentaliste, pour leur très précieuse collaboration.

Et, surtout, je tiens à remercier de tout cœur les élèves de la classe de cinquième de l'internat d'excellence : Sami, Hiba, Nasser, Jasmyne, Magloire, Stanislas, Stacy, Amandine, Youssef, Tchiam's, William, David, Julien, Franck, Amina, Mahine, Nour, Barbara, Maïssane, Laurie et Jasper, qui m'ont accueillie avec tant d'enthousiasme et de gentillesse. Ce livre leur est dédié.

Enfin, je remercie Rachel H., mon amie de cœur et de plume, de m'avoir soufflé le titre de ce livre.

1

Momo court, court à perdre haleine, aveuglé par ses larmes, tandis que son cœur bat à toute volée et que dans sa tête résonne encore la phrase assassine prononcée le jour même par sa meilleure amie, son amie de cœur, sa presque sœur.

– On déménaaage, M… o… m… o…

C'est exactement comme cela qu'elle lui a annoncé la terrible nouvelle. Et c'est donc de cette manière qu'elle ne cesse depuis de ricocher dans son esprit. «On déménaaage, M… o… m… o… On déménaaage, M… o… m… o…»

Momo n'a rien dit. Qu'aurait-il pu dire, franchement? D'autant qu'Émilie s'est tue ensuite, incapable de proférer le moindre mot, elle aussi. Momo a alors compris qu'elle en souffrait probablement autant que lui et que, dans ce cas-là, il vaut mieux se taire, sinon, sous l'effet de la colère ou de la douleur, on risque de lancer n'importe quoi, de prononcer des mots qui dépassent la pensée, qui la trahissent même. Et Momo, mieux que n'importe quel garçon de son âge, connaît le poids des mots, la valeur de chacun d'eux. Il a passé suffisamment de temps, tout au long de l'année, à les étudier. Il s'est même donné sept ans pour tous les connaître, à raison de vingt-six mots par jour. Si la tâche s'est finalement révélée bien plus ardue qu'il ne l'avait prévu (car il ne suffit pas de recopier des mots sur un cahier pour les retenir aussitôt), Momo tient bon. Monsieur Édouard, l'instituteur à la retraite aujourd'hui décédé qui fut son premier ami[1], lui disait souvent qu'il faut aller au bout de ses rêves ; et son rêve à lui, c'est de devenir un grand écrivain français, comme Romain Gary. Quand on

1. Voir, du même auteur, *Momo, petit prince des Bleuets*, coll. «Tempo», Syros.

veut devenir écrivain, le plus important, évidemment, c'est de bien choisir ses mots.

«Le langage est source de malentendus», dit le renard au petit prince de Saint-Exupéry. C'est parce que Momo n'a trouvé aucun mot qui soit à la hauteur de son chagrin qu'il s'est tu et que, dès le dernier cours terminé, il s'est rué seul vers l'unique endroit au monde où il pense pouvoir trouver un tant soit peu de réconfort.

Cet endroit se trouve de l'autre côté de la ville, derrière son ancienne cité des Bleuets. C'est là qu'il avait fait la connaissance de monsieur Édouard, une rencontre qui avait changé sa vie. Et c'est au vieil homme qu'il pense en s'écroulant littéralement sur le banc, le souffle saccadé, chargé de ses sanglots. Que lui dirait-il pour le consoler? Quels mots-pansements apposerait-il sur son chagrin? Aucun, cette fois, soupire Momo, car cette peine-là est trop profonde. Pourtant, en matière de chagrin, le moins que l'on puisse dire est qu'il s'y connaît, Momo. Il a déjà donné. Alors, quand ce matin Émilie est arrivée au collège, un air triste accroché à son visage, Momo a immédiatement soupçonné que quelque chose de grave le menaçait.

Il avait raison.

Émilie déménage. Émilie s'en va. Émilie le quitte, Émilie disparaît.

C'est bien ce que cela veut dire, déménager, non?

Jamais Momo n'aurait pu imaginer qu'une telle chose serait susceptible de se produire. Mais peut-on prédire le malheur? Non, c'est sournois, le malheur. Il vous tombe dessus sans crier gare. En fait, il était resté tapi dans un coin, attendant son heure. En déménageant, en passant des Bleuets aux Coquelicots[2], Momo pensait avoir réussi à le semer. Eh bien non!

Visiblement, quoique en dise monsieur Édouard, il ne suffit pas de vouloir les choses ni de les rêver pour qu'elles se réalisent.

«Cela fait longtemps que je ne suis plus venu par ici», se dit Momo en regardant autour de lui.

Si la municipalité a procédé à la rénovation de la cité, y faisant sauter quelques tours pour

2. Voir, du même auteur, *Momo des Coquelicots*, coll. «Tempo», Syros.

que les habitants s'y sentent moins serrés, moins compressés, si quelques arbres et fleurs ont été plantés çà et là pour égayer le paysage et mettre un peu de couleurs dans leur cœur, du côté de la butte, rien n'a changé.

Il faut dire qu'il n'y avait déjà pas grand-chose : un arbre, un banc. Non, pas grand-chose, vraiment. Pourtant c'est bien là qu'il avait connu les premiers grands moments de bonheur de sa vie. Mais il lui semble si loin déjà, ce temps-là, cet été-là où il avait fait la connaissance de monsieur Édouard qui l'avait sacré petit prince des Bleuets.

Tant de choses se sont passées depuis : la disparition de son vieil ami puis celle de son père…

Le départ d'Ahmed, son grand frère, disparu lui aussi du jour au lendemain, sans plus donner de nouvelles. Mais là, Momo estime que ce n'est pas un grand malheur. Et même s'il sait que ça l'est pour sa mère qu'il entend parfois pleurer la nuit, il n'arrive pas, lui, à en concevoir du chagrin. Depuis qu'Ahmed est parti, tout va pour le mieux à la maison ; on respire plus librement. Et, au fond de son cœur, il espère même ne plus jamais le revoir, sauf s'il avait changé, bien sûr, s'il était redevenu comme avant, du temps où Momo était encore petit et aimait jouer avec son aîné. Mais faut pas trop rêver! Quand on est méchant avec sa famille, qu'on donne des gifles à tour de bras à ses sœurs et qu'on veut sans cesse jouer au chef, on ne s'abonnit (*v. pr. Devenir meilleur*) pas comme ça, du jour au lendemain.

Mais ce qui a le plus transformé la vie de Momo et de sa famille, c'est le déménagement aux Coquelicots où ils habitent désormais une jolie petite maison avec un jardin.

Et puis, si sa vie a tant changé, c'est aussi en grande partie grâce à Émilie, sa chère Émilie, sa première et unique meilleure amie…

C'est comme ça, la vie. Les gens que l'on aime finissent toujours par nous quitter.

Tandis que Momo rumine ses sombres pensées, Émilie, elle, s'est lancée à sa recherche. D'ordinaire, ils faisaient toujours un brin de chemin ensemble en sortant du collège, mais là, la sonnerie retentissait à peine que Momo détalait aussi sec. Elle a bien essayé de lui emboîter le pas, de l'appeler, de lui crier de l'attendre, rien n'y a fait. Momo a foncé droit devant, sans se retourner, comme si elle n'existait pas, comme si elle n'existait déjà plus. Là, son sang n'a fait qu'un tour.

Si Émilie comprend parfaitement qu'il ait de la peine, ce n'est pas une raison pour se comporter de la sorte, pense-t-elle. Elle aussi est triste, tout comme lui. Autant que lui. Depuis qu'ils se connaissent, ils ont toujours tout partagé, Momo et elle. Jamais ils ne se sont disputés, toujours d'accord sur tout. Ce n'est pas sa faute à elle si ses parents ont décidé de déménager, quand même! Ils ne lui ont pas demandé son avis.

Pour la toute première fois, Émilie est en colère contre son ami. Et elle entend bien le lui faire savoir. C'est pour cela qu'elle décide de se rendre chez lui. Mais elle y trouve porte close. Il n'y a personne aux Coquelicots chez les Beldaraoui. «Où donc est Momo?» se demande-t-elle quelque peu inquiète. Le cœur gros, elle se dit qu'il va falloir qu'elle rentre chez elle, sans l'avoir revu.

Mais soudain, elle sait. Oui, elle sait où Momo s'est probablement réfugié. À la butte, bien sûr, dont il lui a si souvent parlé mais où elle n'a jamais mis les pieds. Le problème est que, pour y accéder, il lui faut traverser la cité des Bleuets qu'Émilie certes connaît mais où elle ne s'est jamais aventurée toute seule. Tant pis, il faut absolument qu'elle trouve Momo, qu'elle lui parle.

Lorsqu'elle arrive sur l'esplanade, sa présence suscite quelque curiosité, et un groupe de garçons lui emboîte le pas, l'abreuvant de quolibets. Émilie n'en mène pas large mais, la reconnaissant, des élèves de sa classe volent à son secours, chassant les importuns.

– Vous n'auriez pas vu Momo, par hasard? leur demande-t-elle.

– Si, on l'a vu passer en courant comme un fou! lui répond Anissa en pointant le doigt sur sa tempe. Il est probablement à la butte. C'est par là, juste derrière cette tour-ci.

Émilie les remercie et suit le chemin indiqué.

Effectivement, Momo est bel et bien là, assis sur l'unique banc, le visage enfoui dans ses mains.

Il n'entend même pas le bruit de ses pas crissant sur le gravier.

Pas plus qu'il ne bouge lorsqu'elle s'installe à ses côtés.

Ce n'est que lorsqu'elle pose la main sur l'épaule de son ami que celui-ci tressaille et lui offre son visage baigné de larmes. Il n'en faut pas plus à Émilie pour fondre en larmes à son tour.

Émilie et Momo ne sont ni l'un ni l'autre très bavards et il leur arrive souvent de ne pas avoir besoin de se parler, se contentant de lire, côte à côte. Mais ça ne leur était encore jamais arrivé de partager le moindre chagrin, et Émilie ne sait que faire.

Les voilà bien, tous les deux!

Momo se souvient soudain avoir lu quelque part que ce n'est pas en pleurant ni en se lamentant que l'on fait avancer le monde. Et monsieur Édouard lui en aurait probablement dit tout autant. Alors, il prend la main d'Émilie dans la sienne. Réalisant qu'il ne lui a même pas demandé où elle partait, il a honte soudain, honte de s'être montré si égoïste, de n'avoir pensé qu'à lui.

– Tu vas habiter où?

– À Nice, lui répond-elle, en séchant ses larmes d'un revers de main.

À Nice… Momo sait que les grands-parents d'Émilie y vivent… Et il se souvient même qu'un jour Fatima, sa grande sœur qui travaille chez le docteur Cohen, le papa d'Émilie, avait dit à sa mère que cela ne l'étonnerait pas qu'il parte un jour avec sa famille s'installer à Nice. Momo s'en était inquiété, bien sûr, mais elle avait dit «un jour», et un jour c'était dans longtemps. Ce n'était pas maintenant, en tout cas.

Et voilà que ce jour est arrivé et rudement vite, même.

– Mais alors, réalise-t-il soudain, Fatima va perdre son travail!

Car Momo sait que les malheurs n'arrivent jamais tout seuls mais plutôt en procession.

– Non, je ne crois pas, s'empresse de le rassurer Émilie. C'est Mehdi, son amoureux, qui va sans doute reprendre le cabinet de papa, et Fatima pourra continuer à y travailler.

Peut-être même qu'un jour, pense Momo, quelque peu soulagé, ils se marieront, Mehdi et Fatima, et que du coup ils habiteront dans la maison… Bon, ça, au moins, c'est une bonne nouvelle! Car Mehdi est comme son grand frère, désormais. Le grand frère qu'il aurait rêvé d'avoir tant il est doux, gentil, attentionné avec tout le monde et surtout avec leur mère dont il s'occupe comme un fils, comme Ahmed aurait dû le faire.

Les émotions s'entrechoquent tant et si bien dans sa tête qu'elle en devient douloureuse.

– Je vais rentrer chez moi, Émilie…

– Momo, ne sois pas fâché, s'il te plaît. Moi aussi je suis malheureuse, mais…

– Mais quoi?

– Tu te feras de nouveaux amis…

Momo se lève brutalement et s'éloigne sans un mot. Comment peut-elle imaginer qu'il se fera de nouveaux amis? Ce n'est pas interchangeable, un ami, on n'en change pas comme ça, du jour au lendemain!

– Momo, attends-moi! lui lance Émilie. Je suis désolée. J'essaie de te consoler comme je peux. Et d'ailleurs, je trouve que tu ne fais pas beaucoup d'efforts pour me consoler, moi!

Momo s'arrête net. Elle a raison, Émilie. Il ne pense qu'à lui dans cette affaire. Pour elle aussi c'est difficile. Déménager, partir, ce n'est jamais simple.

– Pardonne-moi. J'ai tellement de peine en fait que je ne pense pas à la tienne. Non, je ne me ferai pas de nouveaux amis. Tu resteras toujours dans mon cœur, comme mon papa, comme monsieur Édouard…

– On s'écrira, on se téléphonera, on s'enverra des mails…

– Oui, bien sûr… acquiesce Momo du bout des lèvres.

Mais il sait que ce ne sera plus jamais pareil. Toutefois, il ne veut pas lui offrir ce visage empreint de tristesse. Il ne veut pas qu'elle garde de lui cette image-là. Ils ont tellement de beaux souvenirs ensemble, qu'il ne faut surtout pas gâcher.

Alors, il lui saisit la main et l'entraîne en courant. Et c'est en riant qu'ils traversent l'esplanade.

– Tu pars quand? lui demande-t-il alors qu'ils atteignent le pavillon du docteur Cohen.

– Au mois d'août.

Il leur reste donc presque deux mois. Encore une quinzaine de jours avant les grandes vacances et puis tout le mois de juillet. Mais sa rentrée en cinquième, Momo la fera seul.

– Tu veux entrer voir Fatima? lui propose son amie.

Momo décline l'invitation. Il a besoin de se retrouver seul.

Son chagrin, il ne peut le partager avec personne. Enfin si, avec son journal intime, et donc un peu avec monsieur Édouard aussi.

2

Lorsqu'il arrive chez lui, sa mère s'aperçoit tout de suite que quelque chose ne va pas. Momo n'a pas sa tête de tous les jours, celle d'un petit garçon heureux. C'est comme ça, une maman. Elle n'a même pas besoin de la voir, sa tête, pour comprendre quand quelque chose cloche. Rien qu'à la façon dont il lui lance son «Bonjour maman, je suis rentré» alors qu'elle est dans la cuisine, elle devine le chagrin dans sa voix. Et elle accourt, s'essuyant les mains dans son tablier.

Alors que Momo se dirige vers sa chambre, elle l'intercepte et l'agrippe. Et Momo fond en larmes dans les bras de sa maman qui le serre fort contre sa poitrine en se lamentant :

– Ouaï, ouaï, ouaï, mon fils… Je veux pas que tu pleures.

– Momo pleure? s'étonne Yasmina, sa sœur, surgissant de sa chambre.

– Momo pleure! s'écrient à leur tour les jumeaux, Rachida et Rachid, en déboulant, tant cela est inhabituel.

Tous forment un cercle autour de leur mère qu'ils enserrent de leurs bras.

– Mais pourquoi il pleure, au fait? demande Rachida.

– Il pleure car Émilie déménage, explique Yasmina.

– Comment tu le sais? fait Rachid.

– C'est Fatima qui me l'a dit, lui répond-elle, tandis que Momo réalise qu'il va lui être difficile de garder son chagrin par-devers lui.

Chez les Beldaraoui, on ne peut pas vraiment pleurer tout seul dans son coin. La moindre contrariété est aussitôt partagée par l'ensemble de la famille. Alors, il se dégage doucement de l'étreinte des siens pour se réfugier dans sa chambre, qu'il occupe certes avec son frère

Rachid, mais où il a son coin à lui où personne ne vient le déranger. Il est fini le temps où les jumeaux se moquaient de lui en l'appelant «Momo, l'intello, Momo, l'intello…» et en faisant des confettis de sa liste de livres à lire.

Non, Momo force désormais le respect de tous. Il est si bon élève que ses aînés en conçoivent une immense fierté et ont même décidé de donner du collier, eux aussi, pour ne pas être en reste et pour que leur mère et leur papa aussi, de là où il se trouve, soient fiers de leurs enfants.

Alors qu'il s'apprête à regagner sa chambre, Momo aperçoit une enveloppe, à l'en-tête de son collège, posée sur le meuble de l'entrée.

– C'est quoi, cette lettre, maman? s'inquiète-t-il aussitôt.

– Je sais pas, mon fils. J'attends Fatima, lui répond sa mère qui n'ouvre jamais le courrier, laissant ce soin à sa fille aînée.

Le cœur de Momo s'affole. Un malheur ne vient jamais seul, se souvient-il…

Il jette un œil à sa montre. Fatima ne rentrera pas avant 19 h 30, donc pas avant deux bonnes heures.

– Je peux l'ouvrir? demande-t-il.

– Si tu veux! lui accorde sa mère en retournant dans sa cuisine.

Momo s'empare du courrier et l'ouvre d'une main tremblante.

Madame,

Je désirerais par la présente convenir avec vous d'un rendez-vous afin que nous puissions nous entretenir de l'avenir de votre fils Mohammed Beldaraoui, élève de sixième A de notre établissement. À l'issue du conseil de classe et au vu des excellents résultats de votre enfant, l'ensemble des professeurs, la conseillère principale d'éducation et moi-même avons envisagé l'alternative qui s'offre à votre fils concernant la poursuite de ses études. Nous vous prions donc de bien vouloir contacter au plus vite le secrétariat du collège…

Momo replie soigneusement la lettre et la remet dans l'enveloppe.

Qu'est-ce que cela veut dire *une alternative concernant la poursuite de ses études…*?

Momo ne comprend pas. Il ne se souvient pas de ce que cela signifie, «alternative», alors qu'il a largement dépassé la lettre A dans l'apprentissage des mots du dictionnaire pour devenir écrivain. Celui-ci ne s'est pas gravé dans sa mémoire.

Il saisit le dico tout neuf, tout beau, rien qu'à lui, que lui a offert Émilie pour son anniversaire.

Alternative… n. f. Choix entre deux possibilités: je me trouve devant cette alternative, rester ou partir.

«Choix entre deux possibilités, rester ou partir…» répète Momo sans y voir plus clair pour autant.

Tapant à la porte de la chambre de ses sœurs, il décide d'interroger Yasmina, qui lit la lettre en fronçant les sourcils, ce qui ne présage rien de bon, traduit Momo.

– Ben, je ne sais pas trop! déclare-t-elle finalement, défroissant ses sourcils pour lui offrir une moue d'ignorance. Mais apparemment cela veut dire que tu devras changer de collège!

– Changer de collège? s'alarme Momo. Mais pourquoi? Je suis très bien dans le mien.

– Je ne sais pas, Momo, mais t'inquiète pas !
On va demander à Fatima.

Momo n'a pas le choix. Il doit patienter
jusqu'au retour de sa grande sœur.

Pour prendre son (nouveau) mal en patience,
il sort son journal.

Cher monsieur Édouard,

*La dernière fois que je vous ai écrit, tout
allait bien dans ma vie. Trop bien, même. Mais
aujourd'hui, j'ai appris deux mauvaises nouvelles. La première, c'est le départ d'Émilie. Vous
savez, Émilie, mon amie ? Eh bien, elle s'en va, elle
déménage à Nice et elle ne sera plus là à la rentrée. La deuxième, je n'ai pas trop compris. C'est
le collège qui veut voir ma mère pour lui parler
d'une alternative concernant la poursuite de mes
études. J'attends que Fatima rentre pour qu'elle
m'explique mais, si vous voulez mon avis, cela
ne sent pas bon du tout. Je vous avais dit une fois
que les mauvaises nouvelles venaient toujours en
cortège. Les bonnes aussi ! m'aviez-vous répondu.
Mais là, je ne vois rien de très bon dans tout ça.
Je sens que cet été sera triste. Sans papa, sans vous,*

sans Émilie… Heureusement qu'il me reste mes livres. Je n'ai pas encore réussi à lire tous ceux que vous m'avez laissés mais je crois que ça ne va pas tarder…

Je vous raconte la suite dès que j'en sais plus.

Votre Momo dévoué.

Lorsqu'il a de la peine, Momo a quelques «trucs» qui d'ordinaire marchent plutôt bien. Il a le choix entre : se réfugier à la butte des Bleuets, fermer les yeux et partir sur son île, parler avec Émilie, écrire dans son journal ou prendre un livre.

Mais il est déjà allé à la butte, a parlé avec Émilie et écrit dans son journal. Sans que cela lui apporte la moindre consolation. Il ne lui reste plus qu'une seule… alternative ! Ça y est, il a compris le sens exact de ce mot ! *L'alternative concernant la poursuite de ses études* veut bel et bien dire qu'il va lui falloir partir ailleurs, dans un autre collège. *Partir ou rester…* Partir comme Émilie pour un ailleurs qu'il ne connaît pas… Ou rester et continuer son chemin sans elle…

Momo enfouit sa tête dans ses mains. C'est un peu trop d'émotions pour une seule et même journée, se dit-il. Avant, du temps où Momo habitait encore à la cité des Bleuets dans une tour désormais détruite, à cette époque-là, donc, lorsqu'il était triste, il lui suffisait de fermer les yeux pour s'évader sur son île déserte, le seul endroit au monde où poussent des bleuets multicolores. Mais ça ne marche plus aussi bien qu'avant. Sans doute parce qu'il est trop grand désormais… «Mais non, ça ne se peut pas, rectifie-t-il aussitôt. On n'est jamais trop grand pour avoir besoin de s'évader sur une île déserte. Alors, ce doit être parce que j'ai perdu l'habitude, parce que cela fait trop longtemps que je n'y suis pas retourné.»

Il faut dire que, depuis qu'il a quitté les Bleuets, il n'a jamais plus éprouvé le besoin de s'échapper car sa vie est devenue si heureuse que l'idée ne lui a tout simplement pas traversé l'esprit.

Sans doute que tout cela était trop beau…

À peine a-t-il formulé cette sombre pensée que la voix familière de monsieur Édouard s'insurge :

– Allons, Votre Excellence, je comprends votre chagrin, mais même si l'on dit que partir c'est mourir un peu, il n'y a pas là mort d'homme, voyons! Émilie déménage, certes, vous envisagez mal de poursuivre votre route sans elle, je le conçois, mais ainsi va la vie! Et la vôtre continue, envers et contre tout. Des bonheurs, petits et grands, vous en connaîtrez bien d'autres, allez! Vous n'êtes qu'au début de vos joies, même si j'admets que vous et votre famille avez déjà eu votre compte de peines. Et puis n'oubliez pas que je suis à vos côtés et que j'y serai, désormais, éternellement.

Momo sourit.

Il ne lui faut pas plus qu'un sermon de monsieur Édouard pour le requinquer.

3

Il ne lui reste donc plus qu'à prendre un livre. Jetant un œil aux étagères de sa bibliothèque, qui surplombe son bureau, Momo hésite… Il y a là plein de livres qu'il n'a encore jamais ouverts. Il faut dire que monsieur Édouard lui en a laissé plusieurs caisses. Mais parmi ceux-ci, quelques-uns se détachent et l'attirent, comme ce livre que Momo a placé en début de rang, sans doute parce qu'il est le plus petit et différent de tous les autres. Depuis qu'il a emménagé aux Coquelicots et qu'il dispose d'un mur entier pour y ranger ses livres, Momo, que ce soit de son lit ou de son bureau, aime laisser son regard flâner sur les dos disparates de ses ouvrages. Et ce livre-là, dont un médaillon frappé d'un N occupe le centre du dos, l'intrigue plus particulièrement.

« N comme Napoléon ? » se demande-t-il en s'emparant de l'ouvrage.

« Non, N, comme Nelson, le nom de l'éditeur », constate-t-il.

Le livre a pour titre *Le Roman d'un enfant,* de Pierre Loti.

« *Le Roman d'un enfant* », sourit Momo, qui a bien l'intention plus tard d'écrire lui aussi le roman de sa vie. C'est à quoi il s'exerce en rédigeant son journal. Il sait que, lorsqu'il sera adulte, il sera trop content de pouvoir le relire et s'en servir pour raconter son enfance. C'est sans doute ce qu'a fait ce monsieur Pierre Loti dont il n'a jamais entendu parler.

Quand, allongé sur son lit, il ouvre le livre, il est aussitôt abasourdi par la préface adressée…

À SA MAJESTÉ LA REINE ÉLISABETH DE ROUMANIE…

Momo n'en revient pas. Un écrivain adressant carrément son livre à une reine ! La chance ! Depuis toujours, Momo a un faible pour la royauté. N'est-il pas lui-même le petit prince des

Bleuets, couronné jadis par monsieur Édouard, son grand chambellan?! Ce Pierre Loti et lui-même n'auraient-ils pas quelques points communs?

Ravi, Momo poursuit sa lecture, et voici ce qu'il lit:

Il se fait presque tard dans ma vie, pour que j'entreprenne ce livre: autour de moi, déjà tombe une sorte de nuit; où trouverai-je à présent des mots assez frais, des mots assez jeunes?

Comme s'il n'en avait pas déjà eu son lot pour la journée, Momo se sent pris d'une intense émotion. Mais celle-ci est différente, car délicieuse. Ce sentiment, qu'il connaît déjà, mais ne trouve que dans ses lectures, surgit brutalement au détour d'une phrase qui, sans qu'il sache trop pourquoi, lui fait poindre les larmes.

Où trouverai-je à présent des mots assez frais, des mots assez jeunes? relit Momo qui se dit que Romain Gary, son écrivain préféré, ne les a jamais perdus, lui, les mots frais et jeunes qui sont ceux d'un autre Momo, le héros de *La Vie devant soi*.

Et quand, à la fin de la préface, Momo lit: *Et, à la souveraine de qui me vient l'idée de l'écrire, je l'offrirai comme un humble hommage de mon respect charmé*, il est définitivement conquis avant même d'avoir commencé sa lecture.

Bientôt captivé, il ne prête plus l'oreille aux bruits de la maison qui ont tôt fait de s'estomper et disparaître. Ça lui fait toujours ça quand il lit. Plus rien n'existe alors autour de lui. C'est comme s'il entrait dans le livre, a-t-il essayé d'expliquer à Émilie qui, un jour, avait eu à l'appeler plusieurs fois avant qu'il ne lui réponde.

Ce n'est qu'en voyant Fatima soudain dressée au pied de son lit, la lettre du collège à la main, qu'il revient à la réalité.

– Désolée, Momo, mais j'ai frappé à la porte…

– Je n'ai pas entendu.

– Je sais… lui dit-elle en l'embrassant. Bon, j'appellerai le collège demain matin. Mais ne te fais donc pas de souci. Ça ne peut être que du bon.

– Du bon, comment?

– Je n'en ai aucune idée mais j'en suis sûre quand même. Maman m'a dit que tu as pleuré?

– Oui, mais pas pour la lettre… C'est à cause d'Émilie…

– Oui, je suis désolée pour toi, pour vous. Elle aussi a beaucoup de chagrin, tu sais? Elle est même très en colère contre son père. Il m'a dit qu'elle refusait de lui adresser la parole depuis qu'il lui a appris la nouvelle. Elle reste enfermée dans sa chambre et pleure tout le temps. Il ne sait plus quoi faire.

– Ah bon?

Momo est sincèrement désolé, d'autant qu'il se rend bien compte qu'il n'a pas été très sympa avec son amie.

– Je sais que toi aussi tu es malheureux, Momo, mais essaie donc de la réconforter un peu. Pour elle c'est sans doute plus difficile que pour toi car, en dehors de son propre chagrin, elle se sent responsable du tien, tu comprends?

Oui, Momo comprend. Il n'avait pas pensé à cela et n'est pas très fier de lui. Dès demain, au collège, il la consolera, lui dira qu'elle a raison, qu'ils resteront amis toujours, qu'ils s'écriront, se téléphoneront, se maileront…

– Et toi, Fatima, tu es triste?

– Un peu, oui. Je suis triste du départ du docteur Cohen… C'était un bon patron! rit-elle. Mais…

– Mais quoi?

– Je peux te confier un secret?

Elle pose la question tout en connaissant parfaitement la réponse. S'il y en a un à qui on peut confier un secret dans cette famille, c'est bien Momo.

– Mehdi et moi allons nous marier au printemps prochain. C'est lui qui va reprendre le cabinet du docteur Cohen et…

Momo lui saute au cou, si heureux pour sa sœur et si triste à la fois.

Il continuera donc à prendre le chemin de la maison d'Émilie…

Et un jour, quand Fatima et Mehdi auront un bébé, celui-ci occupera sans doute la chambre de son amie, la chambre de princesse. Il vaudra mieux que ce soit une fille, alors… Non, un garçon, comme ça, ils seront obligés de tout changer…

– Eh, Momo, à quoi tu penses? lui demande sa sœur en se dégageant de son étreinte.

– À plein de choses, soupire Momo. Mais je suis content pour toi et Mehdi. Je l'aime beaucoup.

– Moi aussi! s'esclaffe Fatima. Bon, je te laisse à ta lecture. C'est quoi, ce livre?

– *Le Roman d'un enfant* de Pierre Loti.

– C'est bien?

– J'ai eu un peu de mal au premier chapitre mais maintenant ça va.

Momo déteste qu'un livre lui résiste. Il ne lui est encore jamais arrivé d'en abandonner en cours de route car il estime que si monsieur Édouard les a choisis pour lui, il est obligé de tous les lire, ne serait-ce que par respect et politesse. Il estime aussi qu'avec tous les nouveaux mots emmagasinés tout au long de cette année, il doit être capable de tout comprendre, même si parfois ce n'est pas évident. Il ne suffit pas toujours de vérifier un mot dans le dico, il y a des phrases dont le sens, à première lecture, lui semble insaisissable. Comme celle-ci qui débute le premier chapitre :

C'est avec une sorte de crainte que je touche à l'énigme de mes impressions du commencement de la vie, – incertain si bien réellement je les éprouvais moi-même ou si plutôt elles n'étaient pas des ressouvenirs mystérieusement transmis...

Il lui a fallu la relire plusieurs fois avant de la comprendre et qu'elle devienne évidente.

– Que veut dire l'auteur, ici? aurait demandé monsieur Verdier, son prof de français.

– Il veut dire qu'il n'est pas sûr que ses souvenirs soient des choses qu'il se rappelle vraiment et pas plutôt des choses qu'on lui aurait racontées.

– Parfait, monsieur Beldaraoui! aurait approuvé le professeur.

Au début, cela lui faisait tout drôle qu'on lui donne du «monsieur», mais c'est ainsi que leur enseignant s'adresse toujours à eux, en leur disant «monsieur», «mademoiselle» et en les vouvoyant.

– Et ça parle de quoi? lui demande encore sa sœur.

– C'est autobiographique.

Fatima sourit. Il n'y a pas de jour où son petit frère ne trouve moyen de l'étonner par son intelligence.

– Bon, je te laisse. Je vais aider maman à la cuisine. On va bientôt dîner.

Ragaillardi par les propos de sa sœur et bien décidé à rectifier le tir auprès d'Émilie dès le lendemain, c'est l'esprit apaisé que Momo se replonge dans sa lecture après s'être saisi de son carnet et d'un stylo. Car Momo aime recopier les phrases qu'il trouve particulièrement jolies. Il en a plein déjà. Son carnet ne le quitte pas et, au collège, il les lit à Émilie qui fait de même avec ses phrases à elle. Parfois, ils s'en échangent… Un de leurs jeux favoris est de les réciter par cœur. Momo qui est doué d'une mémoire colossale est trop fort à ce jeu-là et gagnerait toujours s'il le voulait. Mais il n'aime rien tant que laisser la victoire à son amie qui, lorsqu'elle triomphe, bat des mains en poussant des cris de joie.

«Avec qui y jouerai-je, désormais?» s'attriste-t-il.

4

Comme elle l'a promis à son frère, Fatima appelle le collège à la première heure et obtient un rendez-vous avec le principal pour l'après-midi même. Elle prévient donc le docteur Cohen qu'elle doit partir plus tôt.

– Pas de souci particulier? s'inquiète-t-il aussitôt.

– Non, je ne pense pas. C'est juste que le collège veut nous voir au sujet de Momo, pour parler de la poursuite de ses études.

– Ah, très bien! Vous me raconterez tout cela demain, Fatima.

La jeune femme passe chez elle pour prendre sa mère, et toutes deux se rendent au collège, la gorge serrée.

Madame Beldaraoui déteste ce genre de convocations. Avant, c'était souvent qu'elle devait s'y rendre pour Ahmed qui, depuis tout petit, multipliait les mauvais comportements, les blâmes, les exclusions.

Heureusement que ça n'avait jamais été le cas avec ses autres enfants. Certes, Rachid et Rachida n'avaient pas toujours été très sages, tous les deux, mais ils avaient bien changé. Quant à Momo, c'est la directrice de son école primaire en personne qui s'était déplacée pour lui faire des compliments à son sujet.

Le principal les attend. Dans son bureau se trouvent également la CPE et monsieur Verdier, le professeur principal.

– Mesdames, commence le chef d'établissement, si je vous ai demandé de venir rapidement, c'est que le temps presse et il va falloir agir rapidement.

Il n'en faut pas plus pour que les cœurs des deux femmes s'affolent.

– Ouaï, ouaï, ouaï! gémit madame Beldaraoui, qu'est-ce qui se passe?

– Rien de grave, rassurez-vous ! sourit-il. Venons-en aux faits. Vous n'êtes pas sans savoir que Mohammed est un excellent élève…

– C'est un génie, mon Momo, l'interrompt-elle.

– Oui, enfin, je n'irais pas jusque-là mais c'est un excellent élément et, pour ce genre d'enfant, il existe des structures bien plus adaptées que notre établissement.

– C'est-à-dire ? questionne Fatima.

– En concertation avec la CPE et son professeur principal, nous avons pensé qu'il serait bien que votre frère poursuive ses études en internat.

– En internat ?! s'écrie-t-elle.

– C'est quoi *eninternat* ? demande madame Beldaraoui.

– Je t'expliquerai après, maman, s'impatiente Fatima. Laisse parler monsieur le principal.

– D'accord, *excouse*-moi, monsieur principal. Parle à ma fille et après elle m'explique.

– Sachez, mademoiselle, poursuit celui-ci, qu'il ne s'agit pas ici d'une punition. Ce dont je vous parle, c'est de l'internat d'excellence. Ce nouveau type d'établissement offre des conditions de travail particulièrement favorables et permet aux élèves d'optimiser leurs chances de réussite.

– Écoutez, intervient monsieur Verdier, Momo est un élève doué d'un gros potentiel intellectuel et nous estimons que nous nous devons de lui offrir l'environnement le plus propice à son épanouissement. S'il reste ici, il fera certes une très bonne scolarité, mais dans le genre d'établissement dont nous vous parlons l'offre culturelle est beaucoup plus large, le suivi des enfants plus serré, les conditions sont optimales pour que chacun aille aussi loin qu'il le peut, comprenez-vous?

Fatima comprend surtout qu'il va leur falloir se séparer de Momo, et l'idée lui est tout simplement insupportable.

– Et il se trouve où, exactement, cet établissement?

– À Sourdun, en Seine-et-Marne. Mohammed pourra bien évidemment rentrer tous les week-ends et pour les vacances.

– Et combien cela va nous coûter?

– Mohammed étant boursier, tout au plus 500 euros pour l'ensemble de l'année scolaire.

Fatima se tait.

– Le problème est qu'il faut prendre une décision très rapidement. Nous sommes déjà hors délais mais au vu de ses résultats nous essaierons d'obtenir une place coûte que coûte! Rien n'est moins sûr et si nous l'obtenons ce sera de manière tout à fait exceptionnelle, grâce à une défection, précise la CPE, ce qui a pour effet de mettre la jeune femme encore davantage sous pression. Ce que je voulais ajouter, par ailleurs, poursuit-elle, est que Momo est un enfant plutôt solitaire et introverti. L'expérience de l'internat ne peut que lui être profitable et l'aider à s'ouvrir aux autres jeunes de son âge.

Fatima ne peut rien opposer à ces arguments, mais n'empêche que ça lui fait mal.

– Il faut que j'en parle avec ma mère, répond-elle du bout des lèvres, et puis avec Momo, surtout.

– Nous pouvons le faire venir tout de suite, si vous voulez?

– Non, vous allez le terrifier. J'ai jusqu'à quand pour vous donner la réponse?

– Demain matin! répond le principal. Tenez, voici une plaquette de présentation de l'établissement en question. Montrez-la à votre frère. Il y a également un site Internet avec des témoignages de jeunes élèves…

– Très bien, je vous appelle demain, promet Fatima en se levant.

Madame Beldaraoui, qui a perdu le fil de la discussion mais s'en remet complètement à sa fille, l'imite et serre les mains en se répandant en remerciements et invitant tout ce petit monde à venir prendre le thé à la maison quand le cœur leur en dira.

Mais lorsque Fatima lui explique de quoi il retourne, elle est scandalisée :

– Et moi je croyais que ces gens voulaient le bien de Momo !

– Mais ils veulent son bien, maman ! C'est pour son bien qu'ils proposent de l'envoyer à l'internat. Et je crois qu'ils ont raison.

– Tu veux toi aussi que ton petit frère il quitte la maison, comme Ahmed, et que je le revoie plus jamais ? C'est ça que tu veux, toi, Fatima ?

– Mais non, maman, ne mélange pas tout. Momo rentrera toutes les semaines.

– Moi, je suis sûre que jamais Momo voudra me quitter. Jamais, tu m'entends ?

Fatima soupire. Elle n'a pas encore annoncé à sa mère son prochain mariage. Et ce n'est vraiment pas le bon moment. Quant au départ de Momo, si douloureux que cela soit, elle sait qu'on lui offre là une opportunité fantastique. Pourtant ce n'est pas à elle d'en décider, mais bien à Momo qui reste tout de même le principal intéressé.

Lorsque celui-ci rentre du collège et remarque les yeux rouges de sa mère et la mine contrariée de sa sœur, il craint le pire.

– Alors, c'est grave? s'enquiert-il.

Fatima sait qu'il faut lui présenter la chose de la manière la plus positive qui soit en mettant de côté ses propres sentiments. Ce n'est pas d'elle qu'il s'agit ici ni de sa mère, mais bien de l'avenir de Momo.

– Eh, relax, Momo! lui lance-t-elle en prenant un air enjoué. Ce n'est pas grave du tout. Bien au contraire!

Incrédule, Momo lance un regard à sa mère qui grimace un sourire.

Fatima lui a fait la leçon. Ce qu'on propose à Momo est inespéré et pas question de laisser passer cette chance à cause de jérémiades. La décision, c'est à Momo de la prendre et à personne d'autre, lui a-t-elle dit.

– Voilà, ton principal, la CPE et ton prof de français ont pensé qu'il serait bien pour toi d'intégrer, l'année prochaine, un internat d'excellence.

Ce disant, elle lui tend la plaquette de présentation.

– Un internat d'excellence, mais c'est quoi?

– C'est pour te permettre de poursuivre tes études dans les meilleures conditions.

– Pourquoi, ils ne veulent plus de moi au collège?

– Mais si! Seulement, ils estiment que dans ce genre d'établissement tu pourras aller beaucoup plus loin et de la meilleure façon possible.

– Et c'est où?

– Pas très loin.

– Et ce sera pour… tout le temps?

– Juste pour la semaine. Tu rentreras le vendredi, après les cours. Et toutes les vacances aussi.

Momo ne sait que dire car au final la nouvelle lui semble bien moins catastrophique que ce qu'il avait imaginé. Et Fatima s'en rend compte. Elle ne sait pas si elle doit s'en réjouir, d'ailleurs. À moins qu'il ne réalise pas…

Mais si, il réalise car il ajoute aussitôt :

– Je ne vous ai jamais quittées. Je n'ai jamais dormi ailleurs qu'à la maison…

– Je sais, mais le moment est peut-être venu. Tu es grand, maintenant. Tu vas entrer en cinquième, avance sa sœur d'une voix étranglée.

– Tu en penses quoi, toi, Fatima ?

– Je pense… je pense, poursuit-elle en éclatant en sanglots, que ce sera dur pour nous tous, mais bien pour toi.

Quand Rachid, Rachida et Yasmina arrivent à ce moment-là, ils les trouvent en larmes, tous les trois.

– Qu'est-ce qui se passe encore ? s'alarme Yasmina.

– Qui est mort ? demande Rachida.

– Personne, grâce à Dieu ! s'empresse de les rassurer leur sœur aînée. C'est juste qu'on a proposé à Momo de poursuivre sa scolarité dans un internat d'excellence…

– Un internat d'excellents! s'esclaffe Rachid. Normal, mon frère, c'est le plus excellent que je connaisse.

– Ça veut dire qu'il va dormir là-bas et tout? s'informe Rachida.

– La chance! l'envie Yasmina.

Finalement, en dehors d'elle-même et de sa mère, tout le monde a l'air de le prendre plutôt bien, constate Fatima.

– Mais attendez, je n'ai pas encore dit oui, moi! leur rappelle Momo. Il faut que je réfléchisse.

– Oui, mais pas trop. Je dois donner la réponse demain. Et il va falloir que tu leur écrives une lettre de motivation.

– Une lettre de motivation? s'écrient en chœur Momo, Yasmina et les jumeaux.

– Oui, une lettre expliquant pourquoi tu veux aller à l'internat.

– Mais c'est un truc de ouf! s'écrie Rachid. Il faut qu'il leur explique pourquoi il veut y aller alors que c'est eux qui le veulent! C'est relou, quand même.

– Il a raison! soupire Momo. Ça ne va pas être facile de les convaincre que j'ai envie d'aller dans un endroit que je ne connais pas. La lettre de motivation, je la ferai quand j'aurai visité.

– Mais il n'est pas question de visiter, Momo! Les visites, les portes ouvertes, tout ça, c'est déjà passé. Ce n'est même pas sûr qu'ils te prennent. Tu ne pourras y aller que si quelqu'un se désiste. Sinon, ce sera pour l'année prochaine, en quatrième.

Les propos de Fatima redonnent le sourire à sa mère. Que Dieu fasse qu'on ne lui prenne pas son Momo cette année! L'année prochaine, *Inch Allah*, il sera plus grand. Alors, on verra.

– Eh, mais du coup, j'aurai la chambre pour moi tout seul! se réjouit Rachid.

– Attends, je ne suis pas encore parti! proteste Momo. Et même si je pars, je reviendrai et ce sera toujours ma chambre.

– Mais je l'aurai pour moi toute la semaine! insiste Rachid, en réalisant tout de même qu'il partage cette chambre avec son petit frère depuis toujours et que celui-ci va sacrément lui manquer.

Rachida et Yasmina sentent bien elles aussi qu'en l'absence de Momo la vie à la maison ne sera plus la même…

– Ça va faire drôle sans Momo… soupire Yasmina.

Il n'en faut pas plus pour que l'ensemble de la famille se mette à pleurer. Lorsque Mehdi arrive, il les trouve en larmes et craint à nouveau le pire. Quand Fatima parvient à lui expliquer les raisons de leur chagrin, il en conçoit un immense soulagement.

– Eh, mais c'est une super-nouvelle! Tu te rends compte de ta chance, Momo? Tu vas vivre une expérience exceptionnelle. Comme je t'envie! Moi, à ton âge, j'aurais adoré.

Les Beldaraoui, qui n'avaient pas vu les choses sous cet angle, le regardent, perplexes. Mais Fatima sèche aussitôt ses larmes.

– Mehdi a raison! déclare-t-elle. Il n'y a pas de quoi pleurer et se lamenter. C'est une chance inespérée, après tout. Alors, réjouissons-nous, décide-t-elle en embrassant son petit frère.

5

L'idée de partir en internat produit sur Momo un très curieux effet. Une sorte d'extase mêlée de terreur. Et cela lui procure une sensation plutôt agréable. C'est comme un parfum d'aventure, une liberté toute nouvelle qui se profile. Quitter les siens, se retrouver seul face à l'inconnu, changer de vie, d'univers, de règles, d'habitudes… Voilà donc ce qu'est l'alternative… rester ou partir…

Momo est assailli de sentiments contradictoires. Si Émilie ne lui avait pas annoncé son propre départ, aurait-il eu envie d'y aller ? Car là, une chose est sûre : quelles que soient ses inquiétudes, il est terriblement tenté.

L'internat d'excellence, une chance de plus pour réussir, promet la plaquette de présentation.

C'est ce qu'il explique à monsieur Édouard par le biais de son journal. Puis à Émilie, le lendemain matin, en lui annonçant qu'il accepte la proposition.

Elle en reste d'abord sans voix. La première question qui lui vient à l'esprit est la même que celle de Momo : si elle ne lui avait pas annoncé son propre départ, aurait-il eu envie d'y aller ? Mais elle ne la lui posera pas. Toutefois, elle ne peut s'empêcher de lui glisser d'un air triste :

– Finalement, on part tous les deux, chacun pour une autre vie.

– Oui. Une nouvelle vie…

– Tu es content ?

– Je ne sais pas. Je crois que oui.

– Tu me raconteras ?

– Oui, promis, je t'écrirai. Toi aussi ?

– Bien sûr !

– Mais tu sais, je ne suis pas encore certain à cent pour cent d'être admis car, d'après le principal du collège, il est un peu trop tard, et puis surtout il faut écrire une lettre de motivation et ça, je ne l'ai encore jamais fait.

– Tu serais déçu si ça ne marchait pas?

– Oui, mais il a dit à ma mère que si vraiment c'était trop tard, on ferait la demande pour l'année prochaine.

– Tu auras le temps de t'habituer à l'idée, comme ça.

– Oui, mais je préférerais quand même que ça marche pour cette année car j'ai peur que si je réfléchis trop, je n'en aie plus le courage.

Alors qu'ils s'installent sur un banc de la cour, Momo sort son livre pour le montrer à son amie.

– C'est quoi?

– Ça s'appelle *Le Roman d'un enfant*, de Pierre Loti.

– C'est bien?

Momo fait une légère moue.

– Un peu difficile et ennuyeux, parfois, mais il y a des passages que j'aime beaucoup.

– Tu en as noté?

– Oui, surtout ceux où il parle de son collège.

– Vas-y, lis-moi.

Momo ouvre le livre à la page 124 qu'il a cornée pour pouvoir la recopier plus tard, dans son carnet.

Il lui lit :

– *Après mes neuf ans révolus, on parla un instant de me mettre au collège, afin de m'habituer aux misères de ce monde, et, tandis que cette question s'agitait en famille, je vécus quelques jours dans la terreur de cette prison-là, dont je connaissais de vue les murs et les fenêtres garnies de treillages en fer.*

Mais on trouva, après réflexion, que j'étais une petite plante trop délicate et trop rare pour subir le contact de ces autres enfants, qui pouvaient avoir des jeux grossiers, de vilaines manières ; on conclut donc à me garder encore.

Momo referme le livre en riant de la mine effarée de son amie.

– Mais c'est terrible ce qu'il décrit ! Pourquoi y avait-il des treillages en fer aux fenêtres ?

– C'était sans doute comme ça, le collège à cette époque. Attends, il y a un autre passage, pire encore :

Au milieu d'un flot d'enfants qui parlaient tous à la fois, je pénétrai dans ce lieu de souffrance. Ma première impression fut toute d'étonnement et de dégoût, devant la laideur des murs barbouillés d'encre, et devant les vieux bancs de bois luisants, usés, tailladés à coups de canif, où l'on sentait que tant d'écoliers avaient souffert. Sans me connaître, ils me tutoyaient, mes nouveaux compagnons, avec des airs protecteurs ou même narquois ; moi, je les dévisageais timidement, les trouvant effrontés et, pour la plupart, fort mal tenus.

– Il est trop triste, ton livre. Je ne crois pas que j'aurai envie de le lire ! déclare Émilie.

– Non, il n'est pas vraiment triste ! Il est juste… mélancolique. Tu sais…

Momo s'interrompt. Jamais encore il n'a parlé à Émilie de son île aux bleuets multicolores.

– Je sais quoi ?

Ce moment lui semble venu. Émilie sera sans doute la seule personne au monde à en connaître l'existence.

– Depuis que je suis tout petit, chaque fois que j'ai du chagrin ou que j'ai peur, je me réfugie sur une île que j'ai inventée dans ma tête.

– Une île comment?

– Une île comme celle de *Vendredi ou La Vie sauvage*. Sauf que sur la mienne il n'y a pas de bouc, mais des bleuets multicolores, figure-toi! s'esclaffe Momo, réalisant soudain sa naïveté. Eh bien, Pierre Loti lui aussi avait une île, mais une vraie. L'île d'Oléron, où il passait ses vacances. Et puis, lui aussi, sa première grande amie, c'était une fille. Par contre, il n'aimait pas l'école.

– Tu m'étonnes, une école comme ça, il y a de quoi ne pas l'aimer! rit Émilie.

– Il n'aimait pas les livres non plus quand il était petit.

– Ça c'est plus difficile à comprendre. Il y a d'autres passages plus gais?

– Oui, mais ce n'est pas ceux que je préfère.

Ce que ne lui confie pas Momo, c'est que son passage vraiment préféré, il ne le lui lira pas, malgré toute l'affection qu'il lui porte. Jamais encore il n'en a lu de plus beau, pense-t-il, même dans *La Vie devant soi*, de Romain Gary, qui restera à jamais son livre préféré, avec *Le Petit Prince*, bien sûr! Mais lorsqu'il a lu ces phrases, il en a éprouvé des frissons des pieds à la tête, tant il s'est senti proche, à ce moment-là, de Pierre Loti qui raconte qu'il écrivait, lui aussi, son journal qu'il tenait caché : [...] *enfermé sous clef comme une œuvre criminelle. J'y inscrivais, moins les événements de ma petite existence tranquille, que mes impressions incohérentes, mes tristesses des soirs, mes regrets des étés passés et mes rêves de lointains pays... J'avais déjà ce besoin de noter, de fixer des images fugitives, de lutter contre la fragilité des choses et de moi-même, qui m'a fait poursuivre ainsi ce journal jusqu'à ces dernières années... Mais, en ce temps-là, l'idée que quelqu'un pourrait un jour y jeter les yeux m'était insupportable ; à tel point que, si je partais pour quelque petit voyage dans l'île ou ailleurs, j'avais soin de le cacheter et d'écrire solennellement sur l'enveloppe : «C'est ma dernière volonté que l'on brûle ce cahier sans le lire.»*

Cette dernière phrase a carrément sonné Momo.

En décidant d'aller en internat, il s'était aussitôt posé la question de son journal. Devrait-il le prendre ou le laisser ? Le prendre au risque que quelqu'un le lui pique au collège et le lise devant tout le monde, ou le laisser à la maison, auquel cas il lui manquerait sans doute terriblement. Il ne pouvait donc se résoudre à ne pas l'emporter avec lui, tant il pressentait qu'il lui serait, de toute évidence, d'un grand réconfort.

Une fois chez lui, après avoir quitté Émilie, Momo sort son journal pour y inscrire en grosses lettres sur la couverture : *C'EST MA DERNIÈRE VOLONTÉ QUE L'ON BRÛLE CE CAHIER SANS LE LIRE.*

Puis il entreprend de faire part à monsieur Édouard de sa décision d'intégrer cet internat d'excellence et, comme d'habitude, ne manque pas de lui commenter ses lectures en cours :

Vous savez, cher monsieur Édouard, je suis très heureux d'avoir lu Le Roman *d'un enfant. Pierre Loti et moi, on a plein de choses en commun. Il avait un grand frère, lui aussi, qu'il a perdu. Mais il adorait le sien, il en était fier et il pouvait l'être. J'aurais bien aimé avoir un grand frère dont je serais fier. Heureusement que j'adore ma grande sœur Fatima et que je peux être fier d'elle. Et puis j'ai Mehdi, aussi, comme nouveau grand frère. Je suis trop content qu'il épouse bientôt Fatima car je suis sûr qu'elle sera très heureuse avec lui. Et j'adore également les jumeaux et Yasmina. Ils me manqueront beaucoup…*

À peine rentrée, Émilie, elle, s'est précipitée sur son ordinateur pour y chercher des renseignements sur ce fameux internat. Et ce qu'elle trouve la rassure complètement. Elle en éprouve même une pointe de jalousie. Ça ne lui aurait pas déplu, à elle non plus, d'aller dans ce genre d'endroit. Surtout lorsqu'elle découvre que les élèves peuvent y faire de l'équitation, qu'il y a même des chevaux sur place!

– Des chevaux? Moi, ce n'est pas trop mon truc! lui répond Momo, aussitôt appelé au téléphone pour partager son enthousiasme.

– Parce que tu n'en as jamais fait! lui répond Émilie. Si tu essaies, tu vas adorer. T'as trop de chance! soupire-t-elle. Je suis certaine que tu vas m'oublier très vite.

– Mais non! proteste Momo. Pourquoi tu dis ça?

– Parce que tu vas te faire plein de nouveaux copains et copines…

– Copains, copines, peut-être, mais toi, tu es mon amie, et une amie c'est pour la vie.

– En tout cas, tu vas bien t'éclater…

Momo n'est pas sûr de s'éclater, ce n'est pas trop son genre, mais il a conscience d'avoir pris la bonne décision.

Du moins l'espère-t-il de tout son cœur.

6

Jamais exercice ne lui aura paru plus difficile.

Écrire une lettre de motivation…

La CPE de son collège lui a bien donné quelques pistes, quelques éléments pour l'aider à la rédiger, cette lettre, mais Momo n'est pas convaincu.

Alors, il est allé chercher dans le dictionnaire ce que l'on entend exactement par «lettre de motivation».

Il a d'abord regardé au mot *lettre* mais il n'y a rien trouvé concernant la motivation.

Il a donc cherché *motivation* et ce qu'il a lu le laisse perplexe: *n. f. Ensemble des motifs qui expliquent un acte…*

«Quel acte?» se demande-t-il.

Les autres définitions lui paraissent encore moins compréhensibles.

Il n'est pas plus avancé.

Alors Momo réfléchit comme il sait si bien le faire lorsqu'il se trouve confronté à un problème qui, de prime abord, peut paraître insoluble.

Que lui demande-t-on? De rédiger une lettre parlant de ses motivations.

Dans «motivation», on entend motivé. Il faut donc qu'il dise pourquoi il est motivé par l'idée d'aller dans cet internat.

Et là est toute la difficulté, en fait!

Comment expliquer qu'on est motivé par la perspective d'aller dans un endroit où on n'a jamais mis les pieds et dont on n'avait même jamais entendu parler avant la veille?

Momo en déduit qu'on lui demande d'imaginer combien cet endroit devrait être bien pour lui. Imaginer, inventer, ça il sait faire. C'est la moindre des choses quand on veut devenir écrivain… Mais cela lui semble tout de même un peu bizarre comme démarche. Non, il ne s'agit pas ici de faire une jolie rédaction mais bien d'expliquer pour quelles bonnes raisons il aimerait intégrer l'internat ; et surtout, de donner envie aux gens de l'internat de l'y accepter, voilà ce qu'on attend de lui !

Lorsque Fatima rentre du travail, elle trouve Momo attablé à son bureau, tandis que des monceaux de papier chiffonné jonchent le sol.

– Eh bien, Momo, tu n'as toujours pas écrit cette lettre de motivation ? s'inquiète-t-elle.

Se penchant par-dessus l'épaule de son petit frère, elle constate, sidérée, qu'il en a rempli des pages et des pages.

Elle éclate de rire :

– Mais, Momo, il ne s'agit pas d'écrire un roman ! Juste quelques lignes pour expliquer pourquoi tu veux aller dans cet internat.

– Oui, mais si je veux bien expliquer, quelques lignes c'est trop court ! se défend Momo.

– Bon, écoute, donne-moi ça. Je vais voir ce que tu as écrit et on supprimera ce qui n'est pas nécessaire, d'accord ? lui propose-t-elle.

S'emparant des feuillets, Fatima se met à lire et, aussitôt, les larmes lui perlent aux yeux.

Monsieur,

Je m'appelle Mohammed Beldaraoui, j'ai onze ans et habite aux Coquelicots depuis pas très longtemps. Avant, ma famille et moi vivions à la cité des Bleuets où la vie n'était pas drôle tous les jours, croyez-moi. D'abord, les Bleuets, je les ai cherchés partout sans jamais les trouver. C'est pour cette raison que je me suis inventé dans ma tête une île où poussent des bleuets multicolores. Un peu comme l'île de Vendredi ou La Vie sauvage, *le livre de Michel Tournier qui était sur la liste de madame la directrice de l'école primaire. Depuis, j'ai découvert que beaucoup d'écrivains ont des îles. Celle de Pierre Loti s'appelle l'île d'Oléron, par exemple. Saint-Exupéry, lui, n'avait pas d'île. C'est normal pour un aviateur. Mais il avait une planète. Une île et une planète, c'est un peu pareil. Romain Gary aussi était aviateur mais il n'avait ni île ni planète. Il voulait juste devenir écrivain français, comme moi. Il n'était pas français, au départ. Son vrai nom était Roman Kacew, en fait, mais il l'a changé en Romain Gary pour faire moins immigré. Moi, j'ai promis à ma mère de ne jamais changer mon nom, de toujours m'appeler*

Mohammed Beldaraoui, car sinon, comment ses copines sauront que je suis son fils ? Romain Gary, c'est grâce à Souad du bibliobus que je l'ai découvert. C'est elle qui m'a offert La Vie devant soi, *le livre dont le héros s'appelle Momo, comme moi.*

Quand on habitait encore aux Bleuets, on était huit à la maison. Il y avait mes parents, mon grand frère Ahmed, Fatima, Yasmina, Rachid et Rachida – les jumeaux – et moi. Il y avait aussi monsieur Édouard qui n'était pas de ma famille en vrai mais c'était pour moi comme mon grand-père. Quand il est mort de la maladie d'Alzheimer, j'ai eu un des plus gros chagrins de ma vie. C'était grâce à lui que j'étais devenu le petit prince des Bleuets. C'est lui qui m'a appris que la couleur des cheveux n'a rien à voir avec la royauté. Avant de partir pour l'éternité, il avait dit à sa fille qu'il aimerait bien me léguer ses livres parce que j'avais été le soleil qui avait éclairé la fin de sa vie. Il faut dire que mourir dans un asile pour viocs loin de sa famille, c'est vraiment triste. C'est parce que Momo de La Vie devant soi *ne voulait pas que ça arrive à madame Rosa qu'ils s'étaient cachés dans sa cave.* Les vieux ont pourtant besoin d'affection, sinon ils meurent attachés aux arbres comme les chiens.

Alors, à monsieur Édouard, je lui écris tous les jours. J'aime vraiment écrire parce que le papier a plus de patience que les gens. Cette phrase, je l'ai recopiée du Journal d'Anne Frank dans mon carnet de jolies phrases.

Ma sœur Fatima m'a dit qu'en plus de ma bourse je devrais payer un petit peu. Pour nous, même un petit peu de sous c'est beaucoup. Mais ne vous inquiétez pas, j'ai encore un peu d'argent sur mon carnet rouge que m'a laissé mon père en partant à son tour pour l'éternité. Il avait économisé de l'argent pour payer mes études, pour que je devienne quelqu'un de bien plus tard.

Mon frère Ahmed est parti, lui aussi, mais pas pour l'éternité. Malgré toute sa méchanceté, maman espère qu'il reviendra un jour. À nous, il ne nous manque pas. Je suis sûr que, s'il avait été là, jamais je n'aurais pu venir à l'internat d'excellence.

Il y a quelques mois, on a quitté la cité des Bleuets parce que, pour rendre les gens plus heureux, ils ont décidé de faire sauter leur tour. Madame

Ginette qui habitait là-bas depuis toujours ne voulait pas partir ailleurs, même si la cité avait connu des jours meilleurs. N'empêche que, maintenant, elle est aux Belles Feuilles, la maison de retraite de monsieur Édouard, et nous aux Coquelicots, dans une vraie maison avec un jardin.

Cette année, je suis en sixième et je travaille beaucoup pour être le premier de ma classe. Alors, si votre internat me permet de devenir excellent, il faut que je vienne. Je suis obligé. Je dois bien cela à mon papa et à monsieur Édouard qui veillent sur moi depuis l'éternité, et à ma maman et à ma grande sœur que j'aime à la folie.

Votre dévoué et humble serviteur,

Mohammed Beldaraoui (petit prince des Bleuets).

Quand Fatima termine sa lecture, ses yeux sont emplis de larmes.

– Ça ne va pas, Fatima? Elle n'est pas bien, ma lettre?

Pour toute réponse, elle étreint son petit frère dans ses bras et enfouit sa tête au creux de son épaule.

– Oh que si, mon Momo ! Elle est parfaite, je n'y toucherai pas ! finit-elle par déclarer en hoquetant, sans que Momo arrive à définir si ce sont les rires ou les sanglots qui la font trembler ainsi.

Le principal du collège sera du même avis en lisant la lettre de Momo.

– Si avec ça il n'est pas pris, déclare-t-il à la CPE, tout émue elle aussi, moi je démissionne !

7

Effectivement, une telle lettre de motivation ne pouvait que remporter l'adhésion de tous les membres de la commission décisionnaire de l'internat d'excellence. En y ajoutant le dossier scolaire, plus les difficultés de la famille dont la maman et la sœur aînée sont seules à subvenir aux besoins, il n'y a aucune hésitation à avoir. Bénéficiant d'un désistement, Momo a donc sa place assurée pour la prochaine rentrée.

En l'apprenant, il ressent une intense émotion mêlée de joie et d'anxiété. Momo n'est jamais parti de chez lui, n'a jamais dormi ailleurs que chez lui. Comment va-t-il supporter l'éloignement des siens durant toute la semaine? Et des amis, se fera-t-il des amis? Il n'a jamais eu de camarades de son âge, en dehors d'Émilie. Mais c'est une fille et, là, il partagera sa chambre avec d'autres garçons… Comment cela va-t-il se passer?

Oui, s'il est content d'avoir été admis, il n'empêche que Momo est aussi franchement inquiet. Inquiétude que tous cherchent à calmer, que ce soient Fatima et Mehdi qui ne cessent de lui faire miroiter les avantages qu'il y a à poursuivre ses études dans un tel endroit, dans de telles conditions, Yasmina qui l'envie trop de quitter la maison, et même les jumeaux qui n'ont de cesse de le féliciter. Seule madame Beldaraoui ne semble pas du tout partager l'enthousiasme général. Tout ce qu'elle voit, elle, sa mère, tout ce qu'elle ressent déjà, c'est l'absence de son dernier enfant, ce petit garçon si singulier, si différent des autres. Après son aîné parti brutalement en claquant la porte, voilà qu'on lui enlève son Momo. Certes, Ahmed, le grand, il fallait qu'il parte, qu'il laisse ses frères et sœurs vivre leur vie. S'il était resté, ce serait devenu l'enfer à la maison. Ses filles auraient été obligées de porter le foulard et les garçons d'aller à l'école islamique. C'était ça qu'il voulait, Ahmed, en fait, et qu'il aurait obtenu s'il était devenu le chef de famille, comme son mari l'avait pensé au début. Et ça, il ne pouvait en être question. Monsieur Beldaraoui lui avait bien dit et répété avant de partir qu'il voulait que tous leurs enfants réussissent à l'école, fassent de très bonnes études et deviennent des adultes accomplis, respectueux et libres de leurs choix. C'est également ce qu'il avait fait promettre à leur fille aînée à qui il disait souvent : si on a quitté l'Algérie pour venir en France, c'est pas pour vivre en France comme en Algérie ! Partageant largement cet avis, Fatima n'avait nullement l'intention de se soumettre à l'autorité d'un frère dont les idées et principes allaient à l'encontre de ce que leur père leur avait inculqué. Pour soutenir sa famille, elle avait été obligée d'abandonner ses études d'infirmière, tandis qu'Ahmed n'avait jamais été fichu de gagner un centime. Alors, elle n'était prête à aucune concession supplémentaire et, ainsi qu'elle l'avait promis à son père, se battrait jusqu'à son dernier souffle pour que ses cadets puissent aller au bout de leurs rêves. Et ce n'était pas Ahmed qui ferait la loi !

Si douloureux que cela soit, madame Beldaraoui n'éprouve pas le moindre remords d'avoir chassé son fils. Même l'imam lui a dit que cela valait mieux pour tout le monde. Et elle peut être fière de sa petite famille. Désormais, Fatima a un bon travail, sort avec un gentil garçon bientôt médecin, Momo est un excellent élève, et ses autres enfants, plutôt dissipés, se sont bien assagis et font de gros efforts pour suivre les traces de leur cadet.

Alors que tout va pour le mieux, surtout depuis qu'ils vivent dans cette si jolie maison, voilà le malheur qui frappe à nouveau à leur porte.

– Non, maman, ne dis pas ça! la gronde Fatima. Ce n'est pas un malheur mais une grande chance, au contraire! Tu vas voir… Ce soir Mehdi vient avec son ordinateur portable pour te montrer à quoi ressemble l'internat d'excellence.

Madame Beldaraoui soupire en secouant la tête. Rien ne peut la consoler mais elle sait qu'il va falloir qu'elle cache sa tristesse à Momo, sinon celui-ci serait capable de renoncer à y aller.

Le soir même, effectivement, Mehdi, entouré de toute la famille, se connecte sur les différents sites qui parlent de l'internat. Bon, d'accord, celui où va aller Momo est une ancienne caserne de hussards perdue en pleine campagne, mais tout y a été rénové. Les élèves qui témoignent semblent plutôt contents de leur sort, et tout le monde est rassuré.

Momo, quant à lui, se soucie peu de l'endroit en lui-même. L'important, c'est tout ce à quoi il aura accès. Si le sport ne l'intéresse pas, pas même l'équitation, au grand dam d'Émilie, Momo entend bien participer à tous les ateliers, et notamment à celui d'échecs, ce jeu qu'il a découvert grâce à monsieur Édouard et auquel il ne joue que très rarement faute de partenaire.

Aller jusqu'au bout de soi, c'est aller jusqu'au bout de ses rêves. Victor Hugo, peut lire Momo sur le site de l'internat. Ça tombe bien parce que c'est ce qu'il a l'intention de faire, Momo, dans sa vie. Aller au bout de soi et donc de ses rêves. Il n'y a que comme ça qu'il réussira ce qu'il s'est promis d'accomplir, ce qu'il a promis à monsieur Édouard et à son père.

Mais pour le moment Momo n'en est pas là. L'année scolaire n'est pas terminée, Émilie n'est pas encore partie, et il entend bien transformer en d'inoubliables souvenirs les dernières semaines qu'il leur reste à passer ensemble.

Pour que rien ne vienne ternir leur joie, ils ont décidé de ne jamais plus aborder les sujets qui fâchent ou qui font mal. Oubliés, le déménagement d'Émilie et l'internat de Momo! Ce qui compte, pour le moment, c'est de continuer à aller au collège tous les jours, ensemble. Ce qui compte, c'est de continuer d'être assis côte à côte en classe, de se rendre au CDI, de lire des livres et d'en discuter. Momo sait que jamais plus il ne vivra des choses semblables à celles-là. Mais il ne veut pas y penser. Émilie lui a dit qu'il se ferait de nouveaux copains. Elle a peut-être raison, mais des copains, ce ne sont pas des amis. Des amis, on en a peu, et il craint fort que, après monsieur Édouard et Émilie, jamais plus il ne retrouve de telles amitiés.

Momo voit les jours défiler avec angoisse. C'est déjà bientôt les vacances. L'année scolaire se termine. Momo et Émilie ont tous deux les félicitations de leurs professeurs.

Puis les jours heureux du mois de juillet se mettent, eux aussi, à défiler à toute allure. Ils ont beau ne pas vouloir y penser, il serait difficile d'ignorer que le déménagement approche. Déjà, dans la chambre de son amie, Momo a vu les étagères se vider petit à petit et les cartons se remplir. Les cadres et les affiches, retirés des murs, y ont laissé des traces plus sombres. Émilie dorénavant préfère rester aux Coquelicots avec Momo. Ils vont même souvent à la butte pour lire. Parfois, Momo l'emmène rendre visite à madame Ginette qui semble plutôt heureuse aux Belles Feuilles où elle s'est fait des copines. Un jour, l'une d'entre elles a demandé aux deux enfants s'ils ne voudraient pas leur faire la lecture à voix haute de temps en temps, car leurs yeux n'y voient plus très bien. Alors, Momo et Émilie leur lisent à tour de rôle les livres qu'ils aiment, et il y a de plus en plus de monde qui vient les écouter.

Quand juillet se termine et qu'arrivent les premiers jours d'août, Émilie et Momo savent que leur séparation est imminente et ils ont beau faire semblant, le cœur n'y est plus. Entre-temps, Fatima et Mehdi ont annoncé leurs fiançailles et il y a eu une grande fête aux Coquelicots, dans le jardin des Beldaraoui, où un gigantesque méchoui a été organisé pour les amis et voisins.

Ils se marieront l'an prochain. Mehdi reprendra le cabinet du docteur Cohen qui lui loue sa maison. Plus tard, Fatima habitera là, avec son mari. Madame Beldaraoui est certes heureuse que sa fille aînée se marie avec un aussi gentil garçon que Mehdi et elle se réjouit à l'idée qu'elle n'habitera pas loin de chez elle, mais elle ne peut s'empêcher de penser que, petit à petit, tous ses enfants vont la quitter.

«C'est la vie», soupire-t-elle, elle le sait bien. Et après, il y aura les petits-enfants…

C'est à cela qu'elle pensait pendant la fête de fiançailles de sa fille, si jolie dans ses différentes robes brodées traditionnelles, quand, soudain, elle avait porté la main à son cœur en poussant un cri.

Ahmed était là, surgi de nulle part, barbu et calotté, vêtu d'une longue robe beige, le regard noir, le visage exprimant une haine farouche.

– Alors, on ne m'invite pas aux fiançailles de ma sœur? avait-il crié tandis que cessaient la musique et les youyous, et que se taisaient les invités, pétrifiés.

Sa mère s'était précipitée vers lui mais il l'avait repoussée d'un geste méprisant de la main.

Fatima avait essayé de retenir Mehdi qui, n'ayant pas l'intention de laisser le frère de sa fiancée gâcher la fête après tout ce qu'il avait entendu à son sujet, s'était rué vers lui. Mais l'imam s'était interposé entre les deux hommes et avait réussi à les entraîner à l'écart.

– Comment voulais-tu qu'on t'invite alors que tu n'as jamais donné signe de vie?! lui avait lancé Mehdi au visage.

– Tu n'as pas honte, fils? avait enchaîné l'imam. Tu as laissé ta mère et ta sœur assumer seules les besoins de toute la famille sans jamais t'en inquiéter et maintenant tu viens semer la zizanie. De quel droit?

– De mon droit d'aîné et de chef de famille!

– Tu ne t'es montré à la hauteur ni de l'un ni de l'autre! avait répliqué l'imam. Tu déshonores le costume que tu portes, la religion dont tu te réclames. Tu reviendras quand tu auras fait amende honorable. Ta famille s'est très bien débrouillée sans toi en ton absence. Et quand tu te seras calmé, tu iras au moins embrasser ta mère et lui demander pardon.

– Mais c'est chez moi, ici. J'ai le droit de rentrer chez moi! avait fulminé le jeune homme.

– Non, ce n'est pas chez toi! lui avait répondu Mehdi, décontenancé. C'est chez ta mère et tes frères et sœurs. Fatima s'est battue seule pour avoir ce logement, pour nourrir et entretenir dignement tout le monde. Toi, tu n'as rien fait, si ce n'est répandre le mal et le chagrin autour des tiens.

– Il a raison, Ahmed. Tu n'as rien fait, avait encore approuvé l'imam. Rien de bon et de constructif, en tout cas, comme ton pauvre père aurait pu l'espérer de toi. Alors, laisse-les, maintenant. Et ne viens plus les importuner si tu ne veux pas avoir affaire à moi.

Même s'il s'était tenu à distance, Momo avait tout vu de la scène. Il avait lu la rage dans les yeux de son frère, la colère dans ceux de Mehdi et la réprobation chez l'imam. Mais il avait vu aussi l'effroi de Fatima et les larmes de sa mère. Et ça, jamais il ne le lui pardonnerait, à Ahmed. Qu'il parte une bonne fois pour toutes et ne revienne jamais, avait-il même souhaité en le voyant s'éloigner.

La fête avait ensuite repris mais sans grand entrain.

– J'espère juste qu'il ne viendra pas gâcher le mariage! avait soupiré Yasmina.

Momo aussi l'espère de tout son cœur.

8

Après le départ d'Émilie, Momo est si occupé par ses préparatifs de rentrée à l'internat qu'il n'a pas le temps de s'apitoyer sur son sort ni même de penser beaucoup à son amie. Fatima, sa mère et lui ont couru les magasins afin qu'il ne manque de rien, et Momo a minutieusement, méticuleusement préparé sa valise, y glissant tout ce qu'il a de plus cher.

Concernant son journal, il a longuement hésité mais a finalement décidé de le prendre avec lui. Il a appris que, dans leur chambre, les armoires sont cadenassées. Il pourra donc l'y ranger chaque soir.

Ne pas l'emmener lui rendrait l'épreuve vraiment trop difficile.

Il a été décidé que ce seraient Mehdi et Fatima qui le conduiraient à l'internat le dimanche soir, veille de la rentrée. Madame Beldaraoui préfère se séparer de son petit garçon chez elle, à l'abri des regards indiscrets. Depuis maintenant une heure elle alterne entre recommandations, embrassades et pleurs.

– Tu donnes de tes nouvelles, hein? Tu laisses pas ta famille sans nouvelles! lui répète-t-elle une énième fois.

Oui, il donnera de ses nouvelles, oui, il fera attention à lui, oui, il travaillera sérieusement, oui, il mangera bien…

Momo promet mais a déjà la tête ailleurs.

Avant le départ, Fatima lui tend un petit paquet:

– Tu en auras besoin là-bas, lui dit-elle.

C'est un téléphone portable. Momo n'en revient pas. Jusqu'à présent, seules Fatima et Yasmina en avaient un.

– Comme ça, tous les jours tu appelleras ta mère! se réjouit celle-ci en l'embrassant. T'oublie pas, Momo, tous les jours!

Momo a tenu à se faire beau. Dans le règlement du collège, il a pu lire qu'il y existe un code vestimentaire. Pas de jogging ni de baskets autorisés en dehors du cours d'EPS. Alors, en faisant ses achats, il a insisté pour qu'on lui achète une belle veste, des chemises et quelques pulls. Il a toujours fait extrêmement attention à son allure. Monsieur Édouard lui avait expliqué qu'on a beau prétèndre que l'habit ne fait pas le moine, la manière dont on est vêtu est tout de même très révélatrice de l'estime que l'on porte à soi-même et aux autres.

– Dis-moi, tu ne vas tout de même pas nous faire le coup du nœud papillon? l'a taquiné sa sœur.

Momo a souri. Cela ne lui aurait pas déplu, le port obligatoire du nœud papillon, qu'il met dans les grandes occasions depuis qu'il a lu *Le Petit Prince*. Mais il se doute bien qu'il serait le seul dans ce cas et s'attirerait forcément des quolibets dont il préfère se passer. Néanmoins, il décide, à la dernière minute, de le glisser dans sa valise. «On ne sait jamais, se dit-il, des fois que je n'en serais pas le seul adepte.»

Quand le moment est venu de quitter les Coquelicots, il n'y a pas que la famille Beldaraoui sur le perron à agiter les mouchoirs en poussant de stridents youyous, mais aussi madame Ginette et ses copains de la maison de retraite qui ont tenu à le saluer, ainsi que de nombreux voisins. Car la nouvelle du départ du petit Beldaraoui pour l'internat d'excellence a rapidement fait le tour du quartier, et chacun des habitants en retire une grande fierté.

Tout au long du chemin, Momo reste silencieux mais son cœur bat si fort qu'il a l'impression que Mehdi et Fatima peuvent l'entendre.

Au portail de l'internat, ils sont accueillis par une dame qui leur indique le numéro du bâtiment et de sa chambre. Quand la voiture franchit la grille, Momo ouvre grand les yeux.

Il ne veut rien perdre de ces premiers instants qui vont à jamais changer sa vie.

Dans les allées du domaine, l'agitation est grande. Pour la plupart des élèves, il s'agit de retrouvailles. On s'interpelle, on s'embrasse, on rit en se dirigeant vers les maisons où sont situées les chambres.

Momo pénètre dans la sienne, les jambes tremblantes et la gorge nouée.

Quatre lits sont déjà occupés. Il prend donc le dernier, celui du fond, près de la fenêtre. Cela lui convient parfaitement.

Tandis que Fatima commence à ranger ses affaires dans son armoire et que Mehdi lui fait son lit, Momo place ses livres sur l'étagère dévolue à cet effet. Il a dû faire le tri, ne pouvant tous les emporter avec lui. Il a donc choisi ses livres fétiches, comme *La Vie devant soi* de Romain Gary, le livre offert par Souad, *Le Petit Prince* de Saint-Exupéry, et *Vendredi ou La Vie sauvage* de Michel Tournier. Il en a pris également quelques autres qu'il n'a pas encore lus. Il a même emporté avec lui son dictionnaire tout neuf offert par Émilie.

– Je comprends maintenant pourquoi ton sac était aussi lourd! s'esclaffe Fatima. Tu sais, il doit y avoir des dicos, ici! Ce n'était pas la peine de prendre le tien!

Momo n'en doute pas mais, en prenant son dictionnaire, c'est un peu de son amie qu'il a amené avec lui.

Momo constate rapidement que, dans sa chambre, il n'est pas le seul nouveau. Deux

autres garçons sont dans ce cas, ce qui le rassure quelque peu. Enfin, un tout petit peu car il
n'est pas très sûr de savoir comment s'en faire
des copains. Le premier, plutôt renfrogné, n'a
visiblement qu'une seule envie : quitter immédiatement les lieux. C'est ce qu'il ne cesse de répéter
à la dame qui l'accompagne et que Momo prend
d'abord pour sa mère.

– S'il vous plaît, laissez-moi repartir d'ici ! ne
cesse-t-il de lui répéter, si haut et si fort que c'en
est gênant pour les autres garçons et leur famille.

– Allons, Bryan, soyez raisonnable. Vous savez
que cela vaut mieux. Pensez à votre maman. Elle
serait très peinée par votre comportement, lui
répond la dame patiemment.

Momo se tourne alors vers l'autre garçon, très
grand, qui le dépasse même d'une bonne tête,
mais cette tête-là est bien plus aimable et lui jette
quelques regards engageants.

« Est-ce à moi de faire les premiers pas ? » se
demande-t-il, perplexe.

– Fatima, chuchote-t-il alors à l'oreille de sa
sœur, est-ce que tu crois que je dois aller me
présenter aux garçons de ma chambre ?

– Euh… ce serait peut-être bien, approuve celle-ci.

Prenant son courage à deux mains, Momo s'exécute, commençant par son plus proche voisin.

– Salut, moi c'est Mohammed, mais on m'appelle Momo.

– Moi, c'est Marek, répond le garçon en lui secouant énergiquement la main, et même, dans son enthousiasme, le bras tout entier. Tu entres en cinquième aussi?

– Oui, confirme Momo, tandis que Fatima leur adresse un grand sourire, ravie de l'initiative prise par son petit frère.

– C'est ta mère? lui demande Marek.

– Non, rit Momo, c'est ma grande sœur avec son fiancé. Et toi, elle est où, ta mère?

– Elle m'a juste déposé et est partie. Elle était pressée, elle n'avait pas le temps. Elle n'a jamais le temps, pour moi. C'est pour ça que je suis venu ici, en fait. J'en avais ras le bol d'être toujours tout seul.

– Ah, s'étonne Momo qui ne se rappelle pas avoir déjà été tout seul dans sa vie, tu n'as pas de frères et sœurs?

– Non, je suis fils unique, soupire-t-il. Remarque, ça valait mieux! Si elle n'a déjà pas le temps pour s'occuper d'un seul enfant, elle en aurait eu encore moins pour deux, ou trois, ou quatre! s'esclaffe-t-il, visiblement sans rancœur.

Fatima, qui ne pouvait s'empêcher de nourrir une profonde inquiétude pour son petit frère, craignant qu'il ne réussisse pas à s'acclimater à l'internat, à nouer des liens avec des garçons de son âge, commence à se détendre.

Il faut dire que Marek a tout pour la rassurer. Voilà apparemment un bien gentil garçon avec lequel Momo s'entendra parfaitement. Et vu sa stature, il pourrait même lui offrir une véritable protection. La jeune femme sourit à l'idée d'annoncer la bonne nouvelle à sa mère, qu'elle imagine sans peine en train de se ronger les sangs.

Quand elle avait confié ses craintes à Mehdi, celui-ci avait aussitôt tenté de la tranquilliser:

– Ta mère et toi vous inquiétez pour rien! lui avait-il affirmé. Faites confiance à Momo, c'est le genre de garçon qui par sa seule intelligence sera toujours capable de se sortir des situations difficiles.

– Mais imagine qu'il tombe sur des enfants mal intentionnés, qui lui veulent du mal. Comment se défendra-t-il? En plus, Momo n'est pas le genre à venir pleurer dans nos jupons. Il préférerait mourir plutôt que de se révéler faible.

– Peut-être, mais si quelque chose ne va pas, vous ne manquerez pas de vous en rendre compte! lui avait-il alors fait remarquer en riant.

– C'est vrai! avait reconnu Fatima en souriant.

Quant à Momo, il s'est déjà forgé son opinion concernant Marek. Ce garçon pourrait bien devenir l'ami qu'il n'a encore jamais eu, quelqu'un qui ne ressemblerait ni à monsieur Édouard ni à Émilie.

Si Momo n'a jamais cherché à nouer d'amitié avec des garçons de son âge, c'est qu'il a horreur de la violence, des jeux brutaux, des bagarres, des sports de combat, autant de choses dont sont souvent friands les garçons. Depuis la maternelle, il se tenait à l'écart dans la cour de récréation, préférant observer les autres plutôt que de participer à leurs parties endiablées. De ce fait, il était souvent l'objet de moqueries de toutes sortes dont il n'avait cure. Mais ces garçons-là, avec qui il va partager sa chambre toute l'année durant, ne montrent, à première vue, aucun caractère belliqueux.

Ragaillardi, Momo se dirige alors vers les anciens.

– Moi, c'est Kevin, dit le premier.

– Et moi, Kamal, fait le second. On nous appelle les doubles K, ajoute-t-il en riant. Sois le bienvenu, Momo. Et toi aussi, Marek.

– Eh, on pourrait appeler notre chambrée la double K&M? propose Kevin, hilare.

Cette réflexion embarrasse Momo qui se tourne vers leur camarade resté en retrait.

– Mais il y a Bryan aussi! proteste-t-il.

– T'inquiète! Je serai pas là longtemps. Moi, tout ce que je veux, c'est me barrer d'ici au plus vite, grommelle le rebelle à voix basse afin de ne pas être entendu par la dame qui s'est rapprochée de Fatima, avec qui elle échange quelques mots.

– Vous verrez, c'est plutôt chouette ici, une fois qu'on s'y est fait, poursuit Kamal à l'intention de Momo et Marek.

– Et ça prend longtemps à s'y faire? s'inquiète Marek.

– Ça dépend! répond Kevin. Moi, l'année dernière en sixième, pendant le premier mois, je pleurais pratiquement tous les soirs.

– Moi, je n'ai pas pleuré du tout! modère Kamal.

– Mais vraiment, on s'éclate. Maintenant c'est quand je rentre chez moi pour les vacances que je pleure! déclare Kevin en riant.

– Eh, les gars? intervient alors Bryan en baissant davantage la voix, on fait comment pour se faire virer d'ici?

– Allons, Bryan, ne dites pas ça! rouspète la dame à qui rien n'échappe. Vous savez parfaitement que vous n'avez pas intérêt à vous faire virer. Cet internat est la meilleure solution pour le moment, alors cessez, je vous prie, vos jérémiades.

– Tu verras, toi aussi tu finiras par t'y faire, comme tout le monde ou presque, tente de le rassurer Kamal. Franchement, il n'y en a vraiment pas beaucoup qui craquent et repartent. Pour ne pas se plaire au point de vouloir rentrer chez soi, il faut vraiment, mais vraiment ne pas avoir envie de s'adapter. Et puis après, c'est la honte, quand même. Quand tu retournes dans ton ancien collège, il n'y a pas de quoi faire le fier!

– Surtout, enchaîne Kevin, qu'ici on t'offre tout pour réussir. Les études, le sport, les loisirs. Jamais je ne me serais éclaté comme ça ailleurs. Où, dans ta cité, tu peux faire du cheval ou de l'escrime, assister à des concerts? Eh bien, ici, c'est possible et c'est top, crois-moi!

Fatima et la dame adressent aux deux jeunes garçons des regards reconnaissants.

– Vous devriez penser à devenir avocats, leur lance même Fatima en riant.

Mais Bryan n'en bougonne pas moins en retournant s'affaler sur son lit, donnant l'impression de porter sur ses épaules toute la misère du monde.

– Eh, dis-moi, s'impatiente alors Kevin, tu as bien fait une lettre de motivation pour venir, non?

– C'est pas moi qui l'ai faite, c'est ma mère. Moi, je ne voulais pas…

Il est interrompu par le maître de maison qui fait le tour des chambrées.

– Bonjour les garçons, bonjour messieurs dames, ajoute-t-il à l'intention des familles. Est-ce que tout se passe bien? Je me présente, je suis Fred, le maître de maison. Je suis là pour vous aider et assurer votre bien-être. N'hésitez pas à faire appel à moi. Pour le moment, il va falloir remettre votre installation à plus tard et vous rendre à l'amphi pour la réunion de bienvenue.

Fatima, Mehdi et Momo suivent le flot des élèves jusqu'au bâtiment où se pressent les enfants et leurs familles.

Ils y sont accueillis par un discours du proviseur.

Ce qu'en retient Momo, c'est qu'ici ils ne sont tous là que pour travailler, travailler et travailler. Et si certains élèves font la moue ou ricanent, ce n'est pas son cas. Il sait qu'il n'y a pas de réussite sans travail (monsieur Édouard le lui a suffisamment répété) et qu'il est là pour ça. S'il a accepté de s'éloigner des siens et de se retrouver dans un univers si différent de celui dans lequel il a toujours vécu, c'est uniquement pour aller le plus loin et le mieux possible.

Une fois la réunion terminée, le moment est venu pour les parents de quitter l'internat. Fatima, le cœur serré, étreint longuement Momo qui peine à retenir ses larmes.

Quand sa sœur et Mehdi remontent dans la voiture, il reste un long moment à les regarder s'éloigner.

9

Le voilà donc seul, pour la première fois de sa vie.

Enfin, seul, si l'on veut.

Autour de lui, c'est l'effervescence. Des grappes de garçons et de filles suivent l'allée menant au réfectoire à grand renfort de rires et de cavalcades.

«Bon, il faut y aller! se dit Momo en essayant de se débarrasser de son chagrin. Dans cinq jours, je rentre à la maison!» Cela suffit à lui redonner un peu de baume au cœur. Alors il presse le pas et ne tarde pas à rattraper Bryan et Marek.

– Ça va, pas trop triste? lui demande ce dernier.

– Un peu, répond Momo.

– Moi, grommelle Bryan, faut que je me casse, et vite !

– Mais enfin, arrête ! s'agace Marek. C'est un peu tard, non, pour vouloir te casser ? Fallait pas venir, point barre. Tu sais que tu as certainement pris la place de quelqu'un qui y tenait vraiment ? Maintenant que t'es là, tu pourrais faire un effort, et si ça ne te plaît pas, te casser au bout du premier trimestre, par exemple. Au moins, comme ça, tu pourras te dire que tu as essayé !

– Il a raison, approuve Momo. On est tous tristes d'avoir quitté nos familles mais c'est une chance, quand même, d'avoir été pris !

Bryan ne répond pas mais suit néanmoins ses camarades, la mine renfrognée. «Facile de donner des conseils, se dit-il, amer. Je voudrais les voir, moi, s'ils étaient à ma place !»

La cantine de l'internat ne change guère Momo de celle de son collège, sauf qu'elle est bien plus grande, qu'ils y sont bien plus nombreux et que, surtout, ça lui fait tout bizarre d'y manger le soir également.

Marek et lui s'installent face à face à la même table que Kamal et Kevin, à laquelle les rejoignent également Bryan et d'autres garçons de cinquième qui se présentent à leur tour. Ils semblent tous particulièrement heureux de se retrouver après ces longues vacances.

– Eh, vous m'avez trop manqué ! peut-on entendre ici et là.

– Tu vois, dit Marek à Momo, l'année prochaine on sera pareils, des anciens. Quand on est nouveau, ce n'est pas facile de se faire accepter par les autres, de s'intégrer à un groupe. C'est ce qui me faisait le plus peur en venant ici, en fait. Alors, je suis trop content d'être tombé sur toi ! Si je m'étais retrouvé juste avec Bryan, ajoute-t-il en chuchotant, l'angoisse que j'aurais eue ! Sûr que j'aurais voulu repartir aussi sec.

Momo opine de la tête.

– Je me suis dit exactement pareil ! déclare-t-il, sentant son estomac se dénouer, enfin convaincu qu'il va se plaire à Sourdun et que son adaptation pourrait être bien plus facile qu'il ne le craignait au départ. Surtout que, au vu de l'angoisse évidente de son autre camarade de chambre, il se trouve plutôt à l'aise dans ses baskets. Il plaint sincèrement Bryan, même si, tout comme Marek, il pense que celui-ci y met vraiment de la mauvaise volonté.

Cette nuit-là, la première de sa vie passée loin de chez lui, Momo peine à trouver le sommeil. D'abord, le lit lui paraît un peu trop dur et, ensuite, il y a tant de choses qui se bousculent dans sa tête qu'il se demande comment il pourrait parvenir à s'endormir. Avant d'éteindre sa veilleuse, il a longuement écrit dans son journal, y relatant dans le détail les événements de la journée, essayant de décrire le plus fidèlement possible chacune des impressions et émotions ressenties. Puis il a rangé celui-ci dans son armoire cadenassée, a fermé les yeux, essayant d'imaginer la journée du lendemain, pensant aux siens, à sa mère surtout, se disant qu'à ce moment précis elle aussi pensait probablement à lui. Mais Momo ne s'endort pas. Tendant l'oreille, il perçoit les respirations régulières de ses compagnons de chambre. Mais lui parvient également, du moins lui semble-t-il, un bruit de sanglots étouffés. Se dressant sur son séant, il essaie de deviner qui, de la chambrée, peut bien pleurer. Il a certes sa petite idée mais il tient à vérifier. Et il ne tarde pas à avoir la confirmation de ses soupçons. C'est Bryan qui pleure et cela plonge Momo dans un profond désarroi.

N'écoutant que son cœur, il se lève et se dirige vers le lit de son camarade qu'il entend, une fois tout proche, appeler sa mère, en répétant :

– Maman... Maman.

– Bryan, ça ne va pas, je peux t'aider ? lui chuchote-t-il.

– Laisse-moi, casse-toi ! lui est-il répondu d'un ton rageur.

Penaud, Momo retourne dans son lit. « Quel étrange garçon que ce Bryan ! se dit-il. D'accord, visiblement il n'a pas la moindre envie d'être là, mais quand même ce n'est pas le bagne non plus, et Marek a raison : puisqu'il y est, autant essayer, non ? »

C'est sur cette réflexion qu'il finit par s'endormir profondément, suffisamment en tout cas pour ne plus rien entendre des bruits de la nuit.

Quand le surveillant entre dans la chambre, le lendemain matin, Momo a l'impression qu'il vient à peine de s'endormir. Mais il bondit aussitôt de son lit en saluant ses camarades d'un joyeux bonjour. Puis il file au lavabo pour le brossage des dents et la toilette. Comme il a l'habitude de le faire chez lui, Momo a préparé ses affaires la veille, pour ne pas perdre de temps. Il lui en faut toujours pour choisir sa tenue du jour, alors il préfère s'en acquitter le soir. On leur a dit qu'ils devaient quitter l'internat à 8h20 afin de se rendre au réfectoire pour le petit déjeuner. Il ne veut surtout pas être en retard. Quand, fin prêt, il constate que Bryan est encore assis sur son lit, en pyjama, Momo est décontenancé.

– Bryan, bouge-toi, l'exhorte-t-il. Qu'est-ce que tu attends?

Pour toute réponse, celui-ci hausse les épaules et continue sa bouderie.

– Laisse tomber, Momo, lui fait Marek en s'habillant. Tant pis pour lui, après tout! Non, mais je te jure, quel boulet ce mec! grommelle-t-il, excédé par le comportement de leur camarade.

Mais Fred, qui revient vérifier que tout se déroule comme il se doit, n'est pas de cet avis:

– Eh, tu n'es pas encore prêt? Quelque chose ne va pas?

– Rien ne va! répond Bryan, en éclatant en sanglots. Je veux rentrer chez moi!

– Ben oui, lui répond le jeune homme en riant, aucun souci, je te promets que vendredi tu rentreras chez toi. On ne retient personne en otage ici. Mais pour l'instant, tu files faire ta toilette, tu t'habilles et tu vas prendre ton petit déj avec les autres.

En disant cela, il a saisi le garçon par le bras pour l'inviter à se bouger. Mais celui-ci résiste.

– Bon, fait le surveillant, allez-y, les gars, ne perdez pas de temps. Je me charge de lui.

Les garçons, après avoir pris leur sac de cours, se dirigent vers le réfectoire où les plus grands, qui commencent les cours plus tôt, les ont précédés. Marek et Momo sont aussi excités l'un que l'autre à l'idée de faire la connaissance de leurs profs. Mais pour le moment, Marek semble très intéressé par la table voisine, occupée par des filles.

– T'avais une copine, toi, au collège? demande-t-il tout bas à Momo.

Il n'en faut pas plus à celui-ci pour rougir jusqu'aux oreilles.

– Euh, oui, j'avais une amie.

– Elle s'appelait comment?

– Émilie, répond Momo du bout des lèvres. Mais elle a déménagé cet été.

– Tu l'aimais?

– C'était mon amie, soupire Momo, très gêné. Ma seule amie, en fait.

– Ah, je vois! fait Marek. Mais tu l'aimais ou pas? insiste-t-il quelque peu lourdement, au grand dam de Momo.

– Et toi, tu avais une amie? ose-t-il demander à son tour pour éluder la question.

– Non, j'avais une bande de copains, mais…

– Mais quoi?

– Ben, ma bande de copains, c'était surtout des petites racailles, quoi, alors que moi je suis bon élève et j'aime bien étudier. À peine rentré chez moi, ils venaient sonner à ma porte. Parfois, j'avais du boulot mais je n'osais pas leur dire que je ne voulais pas sortir à cause de ça. Et puis ils ont commencé à faire des conneries et moi, dealer ou faire le guet pour les dealers, ce n'était pas mon truc… Je crois que si j'étais resté, j'aurais mal tourné, moi aussi.

Il est interrompu par l'arrivée de Bryan accompagné de Fred, qui leur dit :

— Allez, les gars, je vous le confie ! Il a besoin de réconfort, ce garçon.

Puis, s'adressant à Bryan, il ajoute :

— Bon courage, et essaie de prendre sur toi.

Pour la première fois, Bryan esquisse un sourire.

Momo s'en réjouit. « Il est drôlement sympa, ce surveillant, se dit-il. Et respect, s'il a réussi à consoler Bryan. »

Alors qu'ils quittent le réfectoire, ce dernier s'approche de Momo.

— Écoute, pour cette nuit, lui chuchote-t-il à l'oreille, je suis désolé…

— T'inquiète, le rassure Momo, je comprends…

— Tu ne le diras à personne ?

— Bien sûr que non !

Visiblement rasséréné, Bryan suit ses camarades.

Momo est rassuré, lui aussi. Il ne sait pas comment il s'y est pris, Fred, pour dérider Bryan, mais il se dit qu'il faudrait qu'il le lui demande, car cela pourrait lui être bien utile si jamais Bryan pleurait encore la nuit.

10

Les élèves sont accueillis par les CPE qui pro-
cèdent à l'appel avant de les mener à leur salle
de cours où les attend leur professeur principal.
Celui-ci fait de nouveau l'appel, ce qui donne à
Bryan une nouvelle raison de grogner :

– Encore ? Mais ça fait au moins la troisième
fois qu'on nous compte ! On n'est pas des mou-
tons, quand même !

Puis leur professeur leur remet le règlement de
l'internat dont il leur fait la lecture à voix haute.

À l'énoncé de chaque interdiction, les commen-
taires, les protestations ou les soupirs fusent.

Momo qui est très observateur peut enfin avoir
un aperçu de l'ensemble de ses camarades de

classe. Il y a pratiquement autant de filles que de garçons. Les élèves de l'internat lui paraissent très différents de ceux de sa classe au collège. Ici, tout le monde semble très attentif et Momo se dit que, si ça se trouve, il ne sera plus le premier. Très étrangement, c'est du côté des filles qu'il craint la concurrence. Momo a aussitôt remarqué l'une d'entre elles, seule à sa table, plutôt en retrait. Au réfectoire, déjà, alors que Marek lorgnait sur la table voisine de la leur, le regard de Momo avait été attiré vers cette élève qui semblait vouloir s'isoler du groupe. Il avait surtout noté que celle-ci prenait son petit déjeuner tout en lisant un livre qu'elle avait discrètement posé sur ses genoux. Il avait aussitôt souhaité qu'ils soient dans la même classe. Et c'est le cas! Lors de l'appel, il a donc tendu l'oreille pour connaître son prénom. Elle se prénomme Luna et est nouvelle, elle aussi. «Décidément, constate-t-il, moi qui craignais de ne pas me faire d'amis. Enfin, de copains... se reprend-il aussitôt. Voilà que j'ai l'embarras du choix.» Un ami et un copain ce n'est pas pareil, mais si déjà il pouvait se faire plein de copains, ce ne serait pas pour lui déplaire. Momo ne peut que se réjouir d'avoir franchi aussi aisément l'obstacle qui lui semblait le plus difficile à surmonter, c'est-à-dire sa difficulté à se lier. Même si les autres garçons de sa classe lui semblent tous de prime abord plutôt sympathiques, il pense avoir trouvé en la personne de Marek, et peut-être même de Bryan, de vrais amis potentiels.

Quant à approcher Luna, ce n'est pas gagné d'avance. Il a beau essayer de croiser son regard, elle semble totalement l'ignorer. Aussi, quand le professeur leur annonce qu'il va leur assigner leurs places en précisant qu'il tient à ce que filles et garçons soient assis côte à côte, Momo, tout en étant déçu de ne pouvoir rester avec ses nouveaux copains, espère bien se retrouver au même pupitre que Luna. Et là encore, bingo! «C'est mon jour de chance, apparemment», se réjouit-il, quand c'est bien son nom que prononce le professeur en l'associant à celui de Luna. Marek, quant à lui, n'est pas vraiment mécontent de son sort. Sa voisine, Anaïs, est des plus mignonnes et l'accueille d'un large sourire. Momo ne peut pas en dire autant. Luna reste le visage fermé, les lèvres serrées et ne lui adresse nullement la parole. Mais Momo ne lui en veut pas. Il sait que parfois on ressent le besoin d'être seul, qu'on n'est pas obligé de sympathiser avec le premier garçon venu s'asseoir à ses côtés sans qu'on l'ait désiré ou choisi. Alors, il décide de se faire le plus discret possible, ce qui ne lui pose aucun problème.

Finalement, cette première journée file à toute allure. À la fin des cours, les ateliers n'ayant pas encore commencé, les élèves se retrouvent pour une discussion à bâtons rompus avec leur professeur principal. Il veut surtout entendre les nouveaux, car pour ce qui est des anciens, ils semblent avoir complètement accepté leur sort et, hormis quelques réflexions sur le manque de liberté, ont l'air plutôt satisfaits.

– Alors, vous n'avez rien à me dire? insiste le professeur, tandis que Bryan se renfrogne, que Luna rentre la tête dans ses épaules, qu'Anaïs griffonne sur son cahier de brouillon et que Marek regarde par la fenêtre.

Momo se dit qu'il faut bien que l'un d'entre eux prenne la parole, au moins par politesse.

Alors il lève timidement le doigt.

– Oui, je t'écoute. Tu t'appelles comment?

– Mohammed.

– Je t'écoute, Mohammed.

– Ce n'est pas facile de quitter sa famille, répond Momo, surtout quand on n'en a pas l'habitude.

– Oui, c'est vrai, admet le professeur. Je comprends que ta famille te manque. Oui, Mounir? fait-il en s'adressant à un élève qui a levé le doigt.

– Ben, moi je voulais dire qu'il y en a qui sont bien contents de pouvoir quitter leur famille, parfois.

– Je sais, acquiesce le professeur, effectivement il y a des élèves dont l'environnement familial n'est pas propice à leur épanouissement. Mais la plupart du temps, la difficulté d'adaptation est due à l'éloignement des siens.

– Il n'y a pas que ça, poursuit un autre élève. En plus du fait que la famille nous manque, je trouve qu'on dort mal, on mange mal, on doit toujours se dépêcher, on ne nous laisse aucun temps libre pour respirer. On n'est arrivés que hier soir et déjà j'ai l'impression d'avoir fait plus de choses que durant tout un mois chez moi.

– Le fait d'être occupé n'est pas forcément quelque chose de négatif! réplique le professeur en souriant.

Encouragé par Momo, Marek se décide à prendre la parole :

– On sait bien qu'en nous faisant intégrer l'internat, on nous donne une chance que d'autres élèves n'ont pas. Alors, même si c'est un peu difficile au début et qu'on a de la peine, il faut qu'on se dise que plus tard on sera drôlement contents.

– Il a raison, approuve Kamal. L'internat, c'est vrai que c'est une chance pour ceux qui, comme moi, vivent dans des endroits où il n'est pas facile d'être un bon élève, et qui ont quand même envie de réussir leur vie.

– Parfait, jeune homme. D'autres avis? demande le professeur.

– Oui, m'sieu, intervient une fille qui se prénomme Julia, moi je voulais dire que je viens de banlieue aussi, mais je n'avais pas le droit de sortir. Ma mère nous interdit de traîner. Pour elle, c'est important, la culture, l'éducation, et ce n'est pas parce qu'on habite en banlieue qu'on n'a pas le droit de réussir ou qu'on est plus bêtes que les autres. Mais elle dit aussi que nous, pour réussir, on va devoir se battre plus que les autres et surmonter les préjugements.

– Les préjugés, corrige le professeur.

– Oui, les préjugés.

– Moi, ce qui m'a énervé dans le reportage à la télé sur l'internat, renchérit Kevin, c'est qu'ils disaient tout le temps qu'on est des défavorisés.

– Ben c'est un peu vrai, rétorque une dénommée Fatou, il n'y a que des pauvres, ici. Les riches, ils vont dans des écoles privées, ils n'ont pas besoin d'internat d'excellence, ils sont excellents de naissance, déjà!

– N'importe quoi! s'insurge Kevin. Nous, si on a été pris ici, c'est parce qu'on est bons, quand même. Les riches, ils n'ont qu'à payer pour être pris. Fastoche!

Cette boutade fait rire toute la classe, professeur compris.

– Et toi, jeune homme, demande soudain celui-ci en s'adressant à Bryan, je ne t'ai pas entendu, tu te plais, ici? Si j'en juge à ta mine, ça n'a pas l'air d'être le cas!

«C'est la question à ne surtout pas lui poser»,
se dit aussitôt Momo, craignant, une nouvelle fois,
que son camarade n'explose en imprécations et
jérémiades de toutes sortes.

Mais voici que l'interpellé se lève et répond au
professeur d'une voix calme :

– Non, m'sieur, je ne suis pas content d'être là.
Mais on ne m'a pas demandé mon avis. Elles ont
dit que ça valait mieux…

– Qui, elles ?

– Ma mère et l'assistante sociale.

– Elles doivent avoir de bonnes raisons de le
penser.

Bryan hausse les épaules en poussant un profond soupir.

– Écoute, jeune homme, nombreux sont ceux
qui viennent à l'internat à reculons au début, et ce
pour de multiples raisons. Seulement, rares sont
ceux qui nous quittent de leur propre volonté en
cours d'année. Dis-toi bien que tous les débuts
sont difficiles, mais je suis certain que si l'on a
jugé bon de t'envoyer ici, même contre ton gré, ça
ne peut être, effectivement, que dans ton intérêt
et pour ton bien-être. L'internat d'excellence n'a

ouvert ses portes qu'il y a deux ans. Nous entamons notre troisième année et, chez la plupart de nos élèves, nous pouvons noter une réelle satisfaction. Je comprends que tout n'y est pas parfait et qu'il y a certainement des choses à améliorer, mais le but est de vous mener tous autant que vous êtes à la réussite. Et si l'on t'a placé ici, c'est certainement parce que l'on a estimé qu'il fallait t'aider à atteindre cet objectif. Cela dit, si tu veux qu'on en parle plus longuement en tête à tête, n'hésite pas, précise-t-il alors que la sonnerie retentit.

Puis, s'adressant à toute la classe, dans le brouhaha des chaises, il ajoute :

– Sachez que nous, vos professeurs et l'équipe des CPE, ainsi que l'assistante sociale, sommes à votre disposition. En cas de blues, notre porte vous est ouverte.

En sortant de la classe, Momo est mal à l'aise. Quel est donc le secret de Bryan qui le rend si malheureux ? Car il comprend enfin qu'il ne s'agit visiblement pas d'un simple caprice de sa part. Il regrette d'avoir fait preuve d'un certain agacement à son égard et se promet d'être plus patient, désormais. Il ne peut alors s'empêcher de penser au renard du *Petit Prince*, déclarant que l'on ne voit bien qu'avec le cœur parce que l'essentiel est invisible pour les yeux. C'est ce qui se passe avec Bryan. Il porte en lui une douleur qui n'est pas visible à l'œil nu. Une douleur que Momo se promet de découvrir pour pouvoir l'aider, pour qu'ils deviennent amis. Quand il était arrivé à la définition du mot «amitié» dans le dictionnaire, il avait ressenti une profonde frustration : *Amitié, n. f. Sentiment d'affection...*

«C'est tout? s'était-il étonné. Juste un sentiment d'affection?» Momo avait alors estimé que, franchement, ils ne s'étaient pas vraiment foulés, les gens qui avaient écrit le dictionnaire. Il a d'ailleurs remarqué que parfois les définitions laissent à désirer, mériteraient d'être développées. Mais il admet aussi que ceux qui font le dictionnaire doivent être des gens extrêmement pressés. Quand il s'en était ouvert à Souad, la bibliothé-caire, elle avait ri de sa remarque avant de lui expliquer qu'il existait, toutefois, des dictionnaires bien plus détaillés et qu'il aurait l'occasion, au cours de ses études, de les explorer, ce qui l'avait pleinement satisfait.

Cela peut sembler aisé, à première vue, de se faire un ami, mais Momo, grâce à monsieur Édouard, sait qu'il n'y a rien de plus compliqué car, comme le dit encore le renard, on ne connaît que ce que l'on apprivoise. Les hommes achètent les choses toutes faites dans les magasins mais il n'existe pas de marchands d'amis. Pour avoir un ami, il faut l'apprivoiser. Et sa mission consistera donc à apprivoiser Bryan. C'est ce qu'il essaie d'expliquer à Marek, bien moins patient que lui.

– C'est un pleurnicheur, ce mec, qu'il va falloir se farcir toute l'année ! déplore-t-il.

– Peut-être que finalement il a de bonnes raisons… On n'en sait rien, après tout. Déjà c'est bizarre que ce soit une assistante sociale qui l'ait accompagné et non un membre de sa famille.

– Ben, moi non plus personne de ma famille ne m'a accompagné ! ricane Marek.

Momo est déconcerté par cette déclaration.

Si ça se trouve, derrière ses sourires et sa bonne humeur, Marek cache lui aussi un chagrin, une blessure qu'il va lui falloir déceler. Momo se dit alors qu'il a certes du pain sur la planche mais qu'il n'y a là rien d'extraordinaire. Un ami, après tout, ça se mérite. Et il a très envie de mériter ces deux-là.

Quand, en classe de sixième, il avait eu l'amitié pour sujet de rédaction, Momo en avait écrit quatre pages, d'une traite. Leur rendant leurs copies, le professeur avait gardé celle de Momo pour la fin et l'avait lue devant toute la classe. Alors, en matière d'amitié, il en connaît un bout, Momo, et il est ravi de pouvoir mettre en œuvre, sans plus tarder, ses compétences dans ce domaine. En tenant sa promesse, déjà, de ne pas révéler à Marek qu'il a entendu Bryan pleurer la nuit dernière en appelant sa mère. Le pauvre, ce doit être terrible de se retrouver seul au point de n'avoir plus qu'une dame inconnue pour l'accompagner à l'internat.

Momo n'a plus la moindre hésitation. Il aidera Bryan, coûte que coûte, que celui-ci le rejette ou pas, le rabroue ou pas. Car ça sert aussi à cela, l'amitié : aider son prochain dans l'adversité (*n. f. Infortune, malheur*). Momo adore ce mot qu'il trouve particulièrement éloquent. À force d'apprendre les mots du dictionnaire depuis plus d'un an, il sait que certains sont bien plus parlants que d'autres, bien plus forts. Et plus un mot est fort, plus il exprime fidèlement la pensée de Momo, plus celui-ci s'y attache et n'a de cesse de l'utiliser.

Durant l'été où il avait fait la connaissance de monsieur Édouard, Momo avait demandé au vieil instituteur comment cela se faisait qu'il utilise tant de mots étranges que personne ne comprenait, comme «se sustenter», par exemple. Le jour où il avait dit à Fatima en rentrant de la butte qu'il «se sustenterait bien», elle l'avait regardé d'un œil inquiet et Ahmed lui avait carrément envoyé une gifle, pensant que c'était un gros mot.

– Parce que, Votre Altesse, il y a des mots qui disparaissent, voyez-vous? Ce n'est qu'en les utilisant que nous pourrons les maintenir en vie.

Momo s'était alors dit qu'il suffisait de pas grand-chose pour empêcher l'agonie des mots. Il n'avait malheureusement pas réussi à éviter la disparition de son père et de monsieur Édouard, mais le sauvetage des mots, voilà qui lui semblait chose bien plus aisée. Il s'était donc donné pour mission d'utiliser systématiquement les mots condamnés.

Mission qui, en pratique, s'avère plus difficile qu'il ne l'avait cru. Effectivement, émailler ses phrases de mots inconnus de ses congénères l'expose régulièrement aux moqueries, mais monsieur Édouard lui a appris que l'on n'a rien sans rien, que la vie est un perpétuel combat, dont nul malheureusement ne sort victorieux. C'est pour cela qu'il vaut mieux utiliser le temps qui nous est alloué à défendre les bonnes causes, à aller vers son prochain.

Et Momo s'y emploie sérieusement.

11

À la fin de cette première journée de classe, Momo est comme sonné par un trop-plein d'informations, d'émotions conjuguées à un rythme des plus trépidants. Du lever au coucher, il lui semble qu'il n'a pas eu le moindre moment de respiration. Cours, déjeuner, cours, goûter, étude… ce à quoi il faudra ajouter les ateliers qui ne commenceront que la semaine suivante.

Dès qu'ils sont à l'extérieur des bâtiments, les élèves sont autorisés à se servir de leur portable. Momo n'a pas encore utilisé le sien. Il lui faut même un certain temps avant de réaliser que c'est le vibreur de celui-ci qui grésille dans son sac.

Il saisit le téléphone où s'affiche un numéro qu'il n'identifie pas.

– Allô, Momo? Comme je suis contente de t'avoir! lui fait la voix d'Émilie. C'est Fatima qui m'a donné ton numéro. J'ai essayé de te joindre plein de fois mais tu ne répondais pas.

– Désolé, mais je n'ai pas encore l'habitude, s'excuse Momo. Je suis trop content que tu m'appelles. Tu as un portable, toi aussi, maintenant?

– Oui, mes parents m'en ont offert un car ici je suis un peu perdue. Et toi, comment ça se passe?

– Bien, répond franchement Momo. Mais ça n'a rien à voir avec notre collège. C'est très strict et on n'est là que pour travailler!

– Tu t'es fait des copains?

– Les garçons de ma chambre sont très sympas. Et toi, ça va?

– Oui, à peu près. Moi c'est mercredi, la rentrée. Je ne connais encore personne ici. Je passe mes journées avec mes grands-parents…

Momo perçoit dans la voix d'Émilie une pointe de tristesse.

– Il y a des filles aussi, dans ton internat?

– Oui, mais je ne les connais pas bien encore. Les garçons et les filles ne se mélangent pas trop, en fait.

– Et ce n'est pas trop dur de dormir loin de chez toi?

– Ben, ça va. Il y en a pour qui c'est bien plus dur, ajoute-t-il en baissant la voix.

– Momo?

– Oui, Émilie.

– Tu me manques tellement! lui confie-t-elle, tentant de retenir un sanglot qui finit par éclater dans l'oreille de Momo, bouleversé.

«Toi aussi…» veut-il lui dire pour la consoler un peu, mais Émilie a déjà raccroché.

Momo ne s'imaginait pas qu'Émilie concevrait autant de chagrin. De plus, il est ébranlé de constater que lui-même n'a guère pensé à son amie tout au long de la journée, tant son esprit a été occupé par de nouveaux visages, d'autres présences. Suffit-il de ne plus voir les gens au quotidien pour cesser de les aimer? «Non, bien sûr que non! tente-t-il de se rassurer. Papa et monsieur Édouard, je ne les vois plus du tout mais je les aime encore très fort!» «Si vous le permettez,

Votre Altesse, intervient alors la voix de son vieil ami, vous nous aimez tout aussi fort mais différemment quand même. La place que nous tenons dans votre cœur sera toujours importante mais nous ne participerons jamais plus à votre quotidien, nous ne partagerons plus avec vous vos rires et vos larmes, si ce n'est en lointains témoins. Cela n'enlèvera rien à la douceur de l'affection que vous nous porterez mais effectivement ce ne sera plus pareil. Loin des yeux, loin du cœur, dit le dicton, que j'aimerais toutefois tempérer. Non, vous n'en aimerez pas moins Émilie parce qu'elle sera loin de vous, mais vous l'aimerez autrement. L'amitié, l'amour ne s'entretiennent que par la proximité. Sinon, ils se transforment en quelque chose de différent. Se parler de temps en temps au téléphone en évoquant des événements que l'autre n'a pas vécus n'a plus la même saveur. Mais ne vous inquiétez pas, beau prince, il en sera de même pour Émilie. Elle aussi rencontrera d'autres personnes, se fera de nouveaux amis et amies… N'en concevez donc aucune culpabilité.»

Momo compose alors sur le clavier de son téléphone le numéro de la maison. À croire que sa mère avait gardé le combiné toute la journée dans la main tant elle décroche rapidement.

– C'est Momo, maman, lui glisse-t-il au creux de l'oreille.

– Bien sûr que c'est toi, mon fils! rit-elle. Qui d'autre va m'appeler? Ton père, de là-haut? Ah, j'aimerais bien, remarque. Alors, comment ça va?

– Ça va, maman. Tout va bien. Et à la maison?

– Ça va, mon fils, soupire-t-elle. Et toi, tu es content? Tu sais, j'ai dit à Fatima, si ça va pas, tu reviens à la maison, pas de problème.

– Non, maman. Je suis bien ici. Les garçons de ma chambre sont sympas… Tout le monde est gentil, en fait.

– Bon, d'accord. Tu manges bien?

– Oui, maman.

– Tu ne manges pas de hallouf, hein?

– Non, maman, t'inquiète pas.

– Mais quand même, si ça va pas, tu dis et Fatima vient te chercher.

– Pas de souci, maman, je rentre déjà vendredi, tu sais?

– *Inch Allah*, mon cœur. Moi, je te fais la *couisine* pour quand tu rentres.

– D'accord, maman, rit Momo. Fatima n'est pas là?

– Non, elle est sortie avec Mehdi. Mais tu peux l'appeler sur son téléphone portable.

– D'accord, mais je ne veux pas la déranger. Embrasse-la de ma part et les jumeaux et Yasmina aussi.

– D'accord, mon fils. À vendredi, alors?

– Oui, maman, à vendredi.

En raccrochant, Momo reste pensif un long moment.

Pour l'instant, il estime que tout se passe plutôt bien pour lui, à l'internat, et qu'il est bien moins malheureux qu'il ne le craignait. Au contraire, même. Cette vie en communauté lui paraît particulièrement intéressante. Sa mère semble s'être fait une raison, elle aussi.

Rasséréné, Momo revient aussitôt en pensée aux événements de la journée. Et c'est le visage timidement souriant de Luna qui se dessine alors, effaçant tous les autres.

Oui, il a osé, au dîner, poser son plateau en face d'elle.

Oui, elle lui a enfin adressé un signe de tête engageant puis, plus tard, quelques sourires.

Ils ont même parcouru ensemble le court trajet entre le réfectoire et le dortoir.

Momo, du coup, s'est fait rudement chambrer par ses camarades :

– Dis donc, tu ne perds pas de temps, toi ! s'est esclaffé Marek, imité par Bryan qui semble dans de meilleures dispositions d'esprit et d'humeur, ce qui réjouit Momo qui aime que l'on soit heureux autour de lui.

Alors Momo pense que le moment est venu de mettre son plan d'amitié à exécution car il vaut mieux battre le fer tant qu'il est chaud ; s'il peut être d'une aide quelconque à son camarade, il n'a pas de temps à perdre.

Tandis qu'ils reviennent de la douche, Momo se lance :

– Tu sais, Bryan, je voulais te dire que si tu as envie de te confier à moi, n'hésite pas.

– Oui, sourit Bryan. Je te remercie de n'avoir dit à personne que tu m'as entendu pleurer l'autre nuit. Mais je n'ai pas trop envie de raconter, soupire-t-il en se laissant gagner à nouveau par un chagrin qu'il tente de refouler.

– Comme tu veux! soupire Momo, désolé d'avoir ravivé de tristes pensées alors que Bryan semblait avoir repris du poil de la bête.

– Merci quand même, lâche celui-ci du bout des lèvres tandis que Momo retourne ranger ses affaires et préparer celles du lendemain.

– Qu'est-ce qui se passe? demande alors Marek qui revient de la douche à son tour et constate immédiatement que l'ambiance n'est pas à la rigolade. Au fait, Bryan, poursuit-il sans s'embarrasser, pour sa part, des mêmes précautions que celles prises par Momo, pourquoi c'est une assistante sociale qui t'a accompagné ici?

– Je n'ai pas envie d'en parler… Excuse-moi, ajoute l'intéressé pour ne pas le froisser.

– Pas de souci! le rassure Marek.

Momo sait que la partie n'est pas encore gagnée mais qu'une vraie complicité s'est déjà instaurée entre eux.

– Tout va bien? demande alors Fred en entrant dans leur chambre.

– Tout va bien, répondent-ils en chœur en riant, dissipant ainsi le léger malaise.

– Toi aussi, Bryan, ça va?

– Ouais, mieux qu'hier soir, en tout cas.

– Ravi de te l'entendre dire, se réjouit le surveillant. Il va bientôt être l'heure d'éteindre vos lumières et de vous mettre au lit, leur précise-t-il.

Ce soir-là, Momo est trop fatigué pour prendre son journal et faire part à monsieur Édouard des différents événements qui ont émaillé sa première journée d'internat.

«Je le ferai demain», se promet-il, juste avant d'être terrassé par le sommeil.

12

Mais les jours suivants, Momo n'aura pas davantage le temps d'écrire. Et quand, le jeudi soir venu, Fred leur explique qu'ils doivent préparer leur sac, qu'ils laisseront le lendemain à la bagagerie jusqu'au départ de l'après-midi, Momo se demande comment le temps a fait pour filer aussi vite.

Il faut dire que chacune des journées de cette première semaine à l'internat lui aura semblé bien plus pleine que celles passées jadis aux Bleuets. C'est ce qu'il a d'ailleurs l'intention d'expliquer à son vieil ami défunt dans son journal. Et il utilisera le mot «jadis» pour évoquer les Bleuets, car non seulement elle lui paraît déjà très lointaine, cette époque, mais en outre «jadis» est un si joli mot.

Ni Bryan, ni Marek, ni même Kevin et Kamal ne prennent le même car que lui au retour. Parmi les élèves de sa classe, ils ne sont guère plus de quatre ou cinq dans ce cas, dont Luna! Alors, quand, repérant la place libre à ses côtés, elle lui demande la permission de s'y installer, Momo est si ému qu'il ne peut lui répondre autrement que par un sourire ébloui. Contre toute attente, Luna paraît bien plus à l'aise. Elle qui durant toute la semaine est restée extrêmement discrète et timide a, comme par enchantement, retrouvé la parole et fait preuve d'une évidente bonne humeur, tant et si bien que Momo ne peut s'empêcher de lui en faire la remarque, ce qui provoque chez elle un rire en cascade qui le ravit.

– C'est parce que je suis trop contente de rentrer chez moi! lui explique-t-elle.

– Ah bon? s'étonne Momo. Tu ne voulais pas venir à l'internat?

– Si, soupire-t-elle, c'est moi qui ai voulu venir mais ça n'empêche que je suis contente de rentrer. Mes parents sont divorcés et se partagent ma garde. C'est l'horreur, figure-toi! Une semaine chez l'un, une semaine chez l'autre, à tout le temps devoir trimballer mes affaires, ne rien oublier et finalement ne me sentir chez moi nulle part. Alors, je leur ai dit que je préférerais aller en internat et passer juste le week-end en alternance chez eux. J'ai tapé «internat» sur Internet et je suis tombée sur Sourdun!

– Et ils étaient d'accord?

– Ben, pas trop au début. Il a fallu que je m'occupe de tout, que je les traîne à la journée portes ouvertes, que je fasse la lettre de motivation… Tout ça pour ne pas qu'ils culpabilisent, tu sais, dans le style: «Mais, Luna, on ne veut surtout pas que tu aies l'impression qu'on cherche à se débarrasser de toi!» Tu parles! Finalement, ça les arrangeait drôlement, cette histoire!

– Tu as des frères et sœurs?

– Non, je suis fille unique. Enfin, pour le moment!

– Et ça ne t'embête pas de les laisser tout seuls toute la semaine?

– Comment ça, tout seuls? Ils ont tous les deux retrouvé quelqu'un. C'est pour ça que je ne me sens plus vraiment chez moi ni chez ma mère ni chez mon père. Mais je suis quand même contente de rentrer chez… eux! rit-elle. Pourtant, je les aime bien, tu sais…

Momo ne peut s'empêcher de penser que, décidément, aucun des amis qu'il s'est choisis n'a la vie très facile et qu'en comparaison il est plutôt bien loti.

C'est une bouffée de bonheur qu'il sent monter à la seule pensée de retrouver les siens, l'espace d'un week-end. Mais il sait d'ores et déjà que, le lundi matin, il n'aura qu'une hâte, revoir ses nouveaux compagnons de vie.

Ils sont tous venus l'attendre à la descente du car : sa mère, Fatima, les jumeaux et Yasmina. À peine l'ont-ils aperçu que fusent les youyous et les cris de joie. Et Momo, ému, se laisse étreindre et embrasser en riant.

Dans le brouhaha général, il a du mal à répondre aux questions de chacun et il faut l'intervention de Fatima pour remettre de l'ordre et le laisser souffler.

Madame Beldaraoui ne peut s'empêcher de lui trouver mauvaise mine. Mais vu ce qu'elle a préparé en victuailles, elle entend bien remplumer son petit garçon qui retrouve avec délices les saveurs de la cuisine familiale.

Durant le week-end, il prend le temps de tout leur expliquer. Leur parle des garçons de sa chambre, de sa classe, de ses profs, des surveillants… Autant de choses qu'il détaille longuement à Émilie qu'il appelle au téléphone afin qu'elle lui raconte, elle aussi, sa rentrée.

– Tout s'est bien passé, lui confie-t-elle. Je me suis tout de suite fait des copines.

– Et des copains? lui demande Momo.

– Non, pas encore! rit-elle. Mais ça ne devrait pas tarder. J'en ai remarqué un plutôt mignon.

Momo ne peut s'empêcher de ressentir un pincement au cœur.

– Émilie?

– Oui, Momo?

– Si tu te faisais un nouveau meilleur ami, tu me le dirais?

– Bien sûr, quelle question! s'écrie-t-elle, presque offusquée, ce qui met Momo rudement mal à l'aise.

Pourquoi n'a-t-il pas, pour sa part, la moindre envie de lui parler de Luna? Et pourquoi est-il habité par ce sentiment de trahison?

– Et toi? ne manque pas de lui demander Émilie.

– Moi aussi! s'empresse-t-il de lui répondre en se jurant qu'il lui parlera la prochaine fois, peut-être, plus tard…

Le samedi matin, Momo ne manque pas d'aller saluer madame Ginette aux Belles Feuilles, où il est accueilli en héros.

– Ce gamin-là, ça ne m'étonnerait pas qu'il devienne un jour président de la République! entend-il même se vanter sa vieille amie.

«Président de la République, sourit-il sur le chemin du retour. Certainement pas. Je préfère mille fois n'être que prince. Je déteste la politique!»

Alors qu'il traverse la cité des Bleuets tout en échafaudant des plans de carrière, il ne tarde pas à être rejoint par ses anciens camarades de classe, ravis de le revoir.

– C'est drôle, lui confie Fatoumata, toi et Émilie n'étiez pas très bavards, mais vous nous manquez quand même drôlement en classe!

Momo rougit et la remercie.

Puis c'est au tour de Mourad de venir lui faire ses confidences :

– Tu sais que ton frère Ahmed est de retour? lui souffle-t-il à l'oreille.

Momo blêmit.

– De retour où?

– Ici, aux Bleuets. Il vit dans un appartement avec d'autres barbus.

Affolé, Momo ne peut s'empêcher de regarder autour de lui.

– Fais gaffe, le prévient son camarade, il mijote quelque chose de pas très bon.

– Comment tu le sais?

– L'autre jour, en sortant du collège, je l'ai aperçu à la grille. J'avais l'impression qu'il se cachait. Quand je suis passé devant lui, il m'a agrippé par le col et m'a demandé où tu étais.

– Moi? s'affole Momo.

– Oui, je lui ai répondu que tu n'étais plus au collège et…

– Et quoi?

– Que je ne savais pas où tu étais.

– Merci, répond Momo, quelque peu soulagé. Est-ce que Yasmina et les jumeaux l'ont vu?

– Non, c'est toi qu'il cherchait apparemment. Le soir, j'en ai parlé à mon frère. Ils étaient potes avant. Il est allé le voir chez les barbus dont il squatte l'appart. En rentrant, il nous a confié qu'Ahmed l'inquiétait. Qu'il était furieux contre vous et qu'il avait bien l'intention de se venger.

– Et quoi d'autre?

– C'est tout… Sauf que… sauf que je crois que mon frère lui a appris que tu n'étais plus à la maison mais dans un internat. Seulement, il ne savait pas lequel…

C'est la gorge serrée que Momo quitte son camarade après l'avoir remercié.

Que faire? se demande-t-il. Prévenir sa mère, Fatima? Ne risque-t-il pas de les effrayer?

C'est alors vers l'ancien cabinet du docteur Cohen qu'il se dirige. Il sait qu'il ne risque pas d'y tomber sur sa sœur, partie faire les courses.

C'est à Mehdi qu'il veut parler. Il n'y a que lui qui puisse veiller sur la famille et empêcher Ahmed de leur faire du mal.

Le jeune médecin l'écoute, l'air grave.

– Écoute, finit-il par dire à Momo, ne dis rien chez toi. Il ne faut pas les inquiéter. C'est bien d'être venu me trouver. Je vais aller le voir, Ahmed, et le mettre en garde. Il n'a pas intérêt à toucher un seul de vos cheveux, sinon il aura affaire à moi. Je le lui ai déjà dit aux fiançailles mais il semble qu'il ait besoin que je lui rafraîchisse la mémoire !

– Non, n'y va pas ! s'écrie Momo. Il pourrait te faire du mal, à toi aussi.

– Sauf que moi je suis parfaitement capable de me défendre. Ne crains rien, Momo. Allez, rentre à la maison, maintenant, et motus, d'accord ?

Si Momo sent qu'il a pris la bonne décision en allant se confier à Mehdi, il n'en est pas moins inquiet. Il connaît le pouvoir de nuisance de son frère, sa haine envers sa famille à qui il ne pardonnera jamais de lui avoir tenu tête en refusant son autorité malveillante.

Mais quand Mehdi rejoint la famille Beldaraoui, le soir, pour dîner, Momo se rassure en constatant que celui-ci semble parfaitement serein, se comportant envers les uns et les autres avec la même gentillesse, la même générosité que d'ordinaire. Tant et si bien que Momo en veut encore davantage à son frère aîné.

Toutefois, il ne tarde pas à calmer ses craintes et son ressentiment, et à se régaler de ce repas préparé avec amour par madame Beldaraoui qui pose sur les siens, réunis autour de la table, un regard de complète béatitude.

13

C'est quasiment à l'aube qu'il lui faut se lever le lundi matin pour rejoindre l'arrêt du car de ramassage qui le ramène à Sourdun. Fatima l'accompagne. Mehdi ne l'a visiblement pas mise au courant du retour d'Ahmed et c'est tant mieux, se réjouit Momo, qui ne doute pas que le futur mari de sa sœur aura vite fait de régler le problème. Aussi, c'est le cœur léger qu'il s'installe dans le car, où il retrouve Luna, montée avant lui.

– Alors, ça s'est bien passé? lui demande-t-il.

Luna fait la grimace.

– Tu parles, là, il a fallu que je passe le samedi chez papa et le dimanche chez maman. Parfois j'ai l'impression de n'être qu'un vieux sac qu'on pose à droite et à gauche. Alors, je leur ai dit que dorénavant je passerai un week-end entier chez l'un et chez l'autre en alternance ! Et toi ?

– Moi, c'était bien ! déclare Momo. Mais je suis content de… revenir à l'internat, déclare-t-il.

Luna rit.

– De revenir à l'internat ou de me revoir ? lance-t-elle, espiègle.

– Les deux ! concède Momo, riant à son tour.

Il leur faut presque deux heures pour arriver à destination après avoir ramassé tout le monde. Quand le bus parvenu à bon port déverse son flot d'élèves, ils ont juste le temps de déposer leurs affaires à la bagagerie et de filer en cours où Momo retrouve avec autant de bonheur ses camarades, Marek et Bryan.

La nouvelle semaine qui s'annonce verra le début des différents ateliers. Momo s'est inscrit à l'atelier théâtre, aux échecs, au badminton (car il sait qu'il est important d'avoir une activité physique) et à l'atelier d'écriture, bien sûr, animé par leur professeur de français, madame Pinson. Marek, lui, a préféré le sport : escrime, équitation, basket. Quant à Bryan, il a opté pour la cuisine, l'équitation, le foot et le tir. Luna, enfin, a choisi danse, musique, cuisine, mais théâtre également, pour être avec Momo.

Quand, le soir venu, ils se retrouvent au dortoir, Momo voit bien que du côté de Bryan ça ne va pas fort. Déjà, ce matin, en arrivant à l'internat, il lui a trouvé les yeux cernés et gonflés. Et maintenant, le voilà assis sur son lit, le regard dans le vague. Momo ne peut s'empêcher de venir s'installer à ses côtés.

– Je peux t'aider? lui demande-t-il.

Bryan secoue la tête.

– Non, personne ne peut m'aider. Et ce n'est pas en restant ici que je trouverai une solution, soupire Bryan en quittant la chambre pour aller se doucher.

Momo n'ose pas insister. Il sait que son camarade finira par avoir suffisamment confiance en lui pour lui faire part de ses soucis. Mais ce n'est pas encore le cas. Pour Marek, le week-end n'a pas été plus heureux, apparemment. Quand celui-ci sort de son sac son linge roulé en boule, Momo ne peut s'empêcher de rire.

– Eh, il n'y a pas de fer à repasser, chez toi?

Mais il regrette aussitôt sa boutade devant l'expression de douleur qui se peint sur le visage de son camarade.

– Si, il y a bien un fer, enfin, sûrement, mais il n'y a personne pour l'utiliser, ricane-t-il. Je ne l'ai pas vue de tout le week-end, poursuit-il, un sanglot dans la voix. Elle n'est pas rentrée à la maison. Je suis resté seul. Le frigo était quasiment vide et je n'avais pas de tunes pour acheter quoi que ce soit. Il restait juste quelques boîtes de sardines. J'ai fait tourner une machine pour laver au moins mon linge, mes draps, mais je ne suis pas un as du repassage ni du pliage !

Momo en reste sans voix. Comment cela est-il possible ? Pauvre Marek !

Il se dit aussitôt qu'il proposerait bien à son camarade de venir passer le prochain week-end chez lui, qu'un de plus ne changerait pas grand-chose à l'affaire, mais il n'ose pas. Il ne veut pas le blesser plus qu'il ne l'est déjà.

Alors que Momo se plonge dans la rédaction de son journal, voilà qu'il sursaute sous l'effet de l'alarme incendie. Ses camarades et lui se précipitent dans le couloir, en pyjama.

– Il faut évacuer la maison, leur crie Fred. Allez, tout le monde dehors et vite!

Les garçons se ruent dans l'escalier, rejoignant les filles à l'extérieur, devant le bâtiment qui n'a pas l'air d'être l'objet d'un quelconque incendie.

Après quelques longues minutes, l'alerte est levée. Les élèves sont alors invités à se regrouper au foyer.

– On va passer un sale quart d'heure! explique Kevin aux nouveaux. Ils ne plaisantent pas avec l'alarme incendie. C'est crétin de la déclencher parce que, le jour où il y aura vraiment le feu, personne n'y croira.

Momo et les nouveaux découvrent ainsi que ce n'était qu'un jeu, une farce.

– Et s'ils attrapent le coupable, qu'est-ce qu'il risque? demande Marek.

– L'exclusion immédiate.

L'ambiance n'est effectivement pas à la rigolade. Amandine, une des CPE, et les maîtres de maison n'ont pas du tout le cœur à la fête et le leur font bien sentir.

– Afin d'éviter une sanction collective, il serait préférable que le coupable se dénonce et assume entièrement la responsabilité de son geste pour ne pas pénaliser l'ensemble de ses camarades.

Un silence de plomb pèse sur l'assistance quand, sans la moindre hésitation et à la stupeur de ses camarades de chambre, Bryan lève le doigt.

Fred fait la moue.

– C'est toi, Bryan, qui as déclenché l'alarme incendie?

– Oui, c'est moi! déclare-t-il.

Momo et Marek le regardent, consternés.

– Mais ce n'est pas possible! chuchote Momo à l'oreille de Marek. Il était avec nous dans la chambre.

– Non, il était allé à la douche…

– Même, je suis sûr que ce n'est pas lui. Il s'accuse pour être viré.

– Oui, tu as peut-être raison.

– Il faut faire quelque chose! déclare Momo en se levant tandis que Fred leur demande de remonter dans leurs chambres, l'incident étant clos.

Seul Bryan reste en bas avec Amandine.

– Fred, lui dit Momo, ce n'est pas Bryan qui a déclenché l'alarme.

– Je sais, lui répond le surveillant, à son plus grand étonnement. Ne t'inquiète pas, Momo. Nous allons tirer cette affaire au clair. Encore faut-il que le véritable coupable ait le courage de se dénoncer. Je vais passer dans vos chambres.

Vu l'heure matinale à laquelle ils se sont levés ce lundi, toute la chambrée est endormie quand Bryan remonte et se glisse sous sa couette.

14

Le lendemain matin, en ouvrant les yeux, Momo constate que Bryan est déjà habillé. Puis il remarque son sac de voyage à ses pieds.

– Mais tu vas où? s'alarme-t-il.

– Je rentre à la maison! lui répond le garçon, visiblement ravi.

– Comment ça, tu rentres à la maison?

– Qui rentre à la maison? demande à son tour Fred en entrant dans la chambre.

Puis, apercevant Bryan, paré de pied en cap, il ajoute en riant:

– Dis donc, c'est bien la première fois que je te vois prêt avant tout le monde. Et tu peux me dire pourquoi tu as fait ton sac?

– Ben, parce que je vais être renvoyé à cause de l'alarme.

– Les garçons, allez vous préparer ! leur enjoint le surveillant.

S'asseyant à côté de Bryan, il lui chuchote :

– Tu vas défaire ton sac. Ne nous prends pas pour des imbéciles, Bryan. Personne n'y a cru à ton histoire d'alarme.

– Mais je te jure, Fred, que c'est moi ! se défend-il, au bord des larmes.

– Non, ce n'est pas toi, Bryan. Le coupable est venu se dénoncer hier soir.

Cette fois, Bryan éclate en sanglots désespérés.

– Mais il faut que je rentre, sinon, il… il… va… la… tuer… hoquette-t-il.

– Calme-toi, Bryan… Qu'est-ce que tu racontes, voyons ?! Qui va tuer qui ?

– Mon beau-père, il va tuer ma mère. Tant que j'étais à la maison, je pouvais la défendre…

– Allez, ressaisis-toi… Pour le moment, tu vas aller prendre ton petit déj. Ensuite, dans le courant de la journée, on verra comment te venir en aide. D'accord, Bryan ?

Tout en s'habillant, Momo n'a rien perdu des propos de son camarade. Il comprend maintenant pourquoi celui-ci veut rentrer chez lui à tout prix et il se dit même que, s'il était dans sa situation, il n'aurait jamais accepté de laisser sa mère toute seule.

– Tu as entendu? demande-t-il, bouleversé, à Marek, qui opine de la tête. Le pauvre, ajoute-t-il.

– Oui, le pauvre…

Au réfectoire, il n'est question que de l'épisode de l'alarme, et le nom du véritable coupable est sur toutes les lèvres.

Celui-ci fait le fanfaron.

– Bon, ça va! Lâchez-moi! Ce n'était qu'une blague! se défend-il.

– Mais tu vas être viré, Djamel! lui répond Kamal. Ce n'est pas très malin!

– N'importe quoi! Ils ne vont pas me virer pour ça! répond-il en haussant les épaules. C'est bon, je me suis dénoncé et je me suis même excusé!

Mais, pour Marek et Momo, l'urgence est d'aider Bryan.

– Tu sais, Bryan, lui dit Momo, mon grand frère Ahmed nous tapait dessus, aussi. Pour un oui ou pour un non, il nous envoyait des gifles.

Bryan, qui avait gardé la tête baissée sur son bol de chocolat, la relève et écarquille les yeux.

– Ah bon? Et alors, qu'est-ce que vous avez fait?

Momo ne peut s'empêcher de sourire à la seule évocation de la scène.

– Ma mère, un jour, elle en a eu marre et l'a chassé de la maison en lui tapant sur la tête avec la poêle à frire.

Il éclate de rire, aussitôt imité par ses deux amis.

– Ma mère n'osera jamais chasser mon beau-père avec une poêle à frire, soupire Bryan après avoir retrouvé son sérieux.

– Mais pourquoi ne va-t-elle pas porter plainte à la police?

– Elle a peur de lui. Il est très mauvais quand il a bu, et comme il boit tout le temps, il est toujours mauvais. Mais entre deux cuites, il lui demande pardon et jure de ne jamais plus recommencer. Et elle le croit.

– Et toi, il te bat, aussi?

Bryan baisse la tête.

– Oui, ça lui est arrivé. Un jour, il a fallu m'emmener aux urgences et, là, le médecin a vu mes bleus. Il a prévenu une assistante sociale et ils m'ont placé dans un foyer. Mais je fuguais tout le temps pour rentrer chez moi. Alors, ils ont proposé à ma mère de me mettre ici. J'ai peur qu'il en profite pour la taper encore plus.

– Je serais toi, Bryan, lui dit Momo, j'irais tout raconter à l'assistante sociale d'ici. Et je suis sûr qu'elle pourra t'aider.

– Momo a raison! approuve Marek.

– Elle ne pourra rien faire. Il faudrait juste que ma mère trouve le courage d'aller porter plainte à la police et…

– On se dépêche! leur enjoint le surveillant. On quitte le réfectoire, c'est l'heure.

Les garçons saisissent leur plateau et se hâtent vers la sortie.

À peine sont-ils installés en classe que Luna glisse à l'oreille de Momo:

– Tu es fâché?

– Non, pourquoi?

– Tu ne m'as pas adressé la parole ce matin, au petit déj. Tu ne m'as même pas calculée, en fait.

– Excuse-moi, Luna. Mais j'étais occupé avec Bryan. Tu sais, il s'est dénoncé pour être viré de l'internat et pouvoir rentrer chez lui. Alors, avec Marek, on essaie de l'aider.

– Oh, désolée, je ne savais pas! Mais c'est cool que tu ne sois pas fâché.

– Je n'ai aucune raison d'être fâché contre toi! la rassure Momo tandis que le professeur entre dans la classe et entame le cours par une sévère réprimande.

– Il faut que vous preniez conscience de l'irres-ponsabilité de cet acte! leur explique-t-il. Sachez que la punition infligée à votre camarade sera exemplaire afin que nul n'ait envie de l'imiter.

– Il va lui arriver quoi, exactement, à Djamel? s'inquiète Momo.

– Là, il est chez le proviseur. Ses parents ont été prévenus. Il passera en conseil de discipline mercredi.

Un silence de plomb accueille la nouvelle.

– «Quel gâchis!» me direz-vous. Effectivement, Djamel est un bon élève et il est fort dommage que, par un geste inconsidéré, il mette en danger ses chances de réussite.

Momo est ébranlé. Djamel, il l'aime bien. C'est un garçon qui se marre tout le temps. Et quand celui-ci revient en classe, les yeux rougis et l'air désespéré, Momo se dit qu'il faut faire quelque chose, éviter son renvoi à tout prix.

À l'heure du goûter, il décide d'aller parler à son camarade qu'il a vu toute la journée porter lourdement sa peine.

– Écoute, Djamel, il faut que tu présentes des excuses.

– Mais je me suis excusé ! Je ne voulais pas qu'ils préviennent mes parents. Ma mère était si fière que je sois pris ici !

Djamel éclate en sanglots.

– Je ne veux pas qu'ils me renvoient dans ma cité ! Ma mère, elle disait que je terminerais petit voyou en restant à traîner dehors tout le temps. Elle était si contente quand j'ai décidé de venir ici pour qu'elle soit fière de moi et de ma réussite !

– Il faut que tu écrives une lettre d'excuse.

– Une lettre d'excuse, je ne saurai pas. Moi, je suis fort en maths, pas en français.

– Alors, je vais t'aider, d'accord? On fera ça ce soir. Et tu remettras ta lettre à Fred.

– Tu crois que ça pourrait marcher? lui demande Djamel, reprenant espoir.

– Je ne sais pas, mais il faut essayer, en tout cas.

Le soir, Djamel rejoint Momo dans sa chambre.

– Bon, écoute, lui dit ce dernier, on va écrire tout ce que tu m'as dit aujourd'hui. Alors, je vais te dicter ton texte. Écris :

Cher monsieur le proviseur de l'internat d'excellence, à la ligne.

Je prends acte avec beaucoup de chagrin de votre décision de me renvoyer de l'internat d'excellence pour la faute que j'ai commise en déclenchant sans raison l'alarme d'incendie. Je comprends que vous me donniez une sanction pour mon geste... Marek? s'interrompt Momo, comment il a dit le prof, déjà? Un geste incon...?

– Euh, un geste incon... quelque chose.

– Attends, fait Momo, je regarde dans le dico. *Inconscient...* non. *Inconséquemment...* non plus. *Inconséquence...* non... *Inconséquent, qui parle, agit à la légère, irréfléchi...* C'était ça, non? Ah, non, voilà, j'ai trouvé : *Inconsidéré, fait ou dit sans réflexion.* Mais les deux sont bien. Alors, écris :

... pour mon geste inconsidéré et inconséquent. Mais je ne veux pas retourner dans mon collège, je ne veux pas finir en tôle parce que la cité, pour moi, c'est mauvais, et je veux réussir ma vie. Alors, s'il vous plaît, ne me renvoyez pas, je vous en conjure. Je vous promets de ne pas recommencer et suis prêt à faire n'importe quelle punition, même terrible. Je vous promets de m'abonnir au...

– De quoi ? demande Djamel.

– De m'abonnir... Ça veut dire devenir meilleur.

... de m'abonnir au plus vite. En souhaitant, cher monsieur le proviseur, que vous lirez ma lettre avec l'intérêt qu'elle mérite. Et tu signes : *Votre dévoué Djamel.*

– Ouah ! s'exclament Marek et Bryan, admiratifs.

– Avec une lettre comme ça, sûr qu'ils vont te garder ! estime Bryan.

– Bon, recopie au propre, maintenant, et va vite la remettre à Fred pour qu'il la donne au proviseur.

– Merci Momo, vraiment ! lui lance Djamel, reconnaissant, en quittant la chambre.

Et il peut l'être, effectivement.

La direction, touchée par ses sincères regrets, décide de surseoir à l'exclusion. Toutefois, Djamel n'échappe pas à une sévère punition d'intérêt général consistant à faire la plonge, en cuisine, durant deux semaines. Le châtiment est rude. Non seulement cette tâche présente un caractère peu ragoûtant, mais il fera en outre l'objet des ricanements de ses camarades. Qu'importe! Grâce à Momo, il n'a pas été exclu et c'est là, pour lui, l'essentiel.

La rumeur que la clémence de la direction est de son fait circule rapidement à travers tout l'internat, où Momo est désormais connu et apprécié de tous, élèves, surveillants et professeurs. En lisant la lettre d'excuse de Djamel, monsieur le proviseur et ses adjoints se sont bien doutés qu'il y avait du Mohammed Beldaraoui là-dessous et c'est, sans nul doute, ce qui a infléchi la sentence.

Momo, quant à lui, estime ne pas être au bout de ses peines. Il n'a encore rien trouvé pour aider son ami Bryan. Mais celui-ci est allé voir l'assistante sociale de l'internat qui l'a écouté avec beaucoup d'attention et de sollicitude. À la fin de l'entretien, elle lui a promis qu'elle ferait tout ce qui était en son pouvoir pour trouver une solution adaptée, et Bryan est sorti de l'entretien le cœur empli d'espoir.

15

La nouvelle de la facilité de plume de Momo en a interpellé plus d'un. Notamment Mamadou, un élève de troisième. Très beau parleur mais piètre écrivain, celui-ci aimerait écrire une lettre à Jennifer, une fille de sa classe dont il est éperdument amoureux depuis la rentrée, sans toutefois avoir osé lui déclarer sa flamme.

Quand, le soir, après le dîner, il vient trouver Momo dans sa chambre, celui-ci n'en mène pas large. Mamadou est grand, costaud et doté, qui plus est, d'une forte personnalité.

Dès le premier jour, Momo l'avait remarqué au réfectoire et s'était aussitôt dit qu'il valait sans doute mieux ne pas s'y frotter.

– C'est toi, l'écrivain? lui demande-t-il d'un ton bourru.

Momo rougit.

– Écrivain? Non, pas encore…

– C'est bien toi qui as écrit la lettre pour Djamel?

– Ah oui, c'est moi.

– Est-ce que tu sais écrire une lettre d'amour? lui demande Mamadou en baissant la voix.

– Euh, je n'ai jamais essayé mais ça ne doit pas être très difficile.

– D'accord! se réjouit Mamadou. Allons-y alors! lui fait-il en s'installant sur son lit.

Momo se saisit aussitôt d'une feuille et d'un stylo.

– Tu veux lui dire quoi? lui demande-t-il.

– Je veux lui dire que depuis le début de l'année j'ai flashé sur elle et que je n'arrête pas de penser à elle mais que je n'ose pas lui dire qu'elle me plaît car j'ai trop peur qu'elle se moque de moi. Je veux lui dire aussi que j'aimerais bien sortir avec elle.

Momo déglutit avec peine. Jamais il n'a écrit de telles choses. Mais il sent qu'il ne peut pas refuser.

– D'accord, il faut que je réfléchisse à la manière d'écrire tout ça, déclare-t-il à Mamadou. Je te donnerai le brouillon demain.

– Ça roule, mec! Merci! lui fait Mamadou en se levant et en lui assenant une tape amicale dans le dos.

Momo passe une bonne partie de la nuit à élaborer la lettre dans sa tête.

Écrire une lettre d'amour lui semble plus compliqué encore que rédiger sa lettre de motivation. Surtout que la lettre est adressée à quelqu'un qu'il ne connaît pas. Il aurait bien voulu ne serait-ce que l'apercevoir, la fille dont Mamadou est amoureux, mais il lui a promis la lettre pour le lendemain matin et il pressent que Mamadou n'est pas du genre que l'on puisse contrarier.

Alors, finalement, il décide de faire comme si la lettre s'adressait à Luna. Et là, les mots coulent de source :

Ma chère xxx,
Dès le premier instant où je t'ai vue, j'ai su que j'allais t'aimer.

Lorsque tu es près de moi, mon cœur bat comme un tambour. Mais comment te le dire sans provoquer ton rire? Alors, j'ai préféré te l'écrire. T'écrire pour te dire que chaque fois que je te vois, je ressens de la joie. Que chaque fois que j'entends ta voix, je sais que c'est toi. Que j'aimerais que chacun de tes sourires ne s'adresse qu'à moi. Que chacun de tes regards ne voie plus que moi. Tu es la plus jolie fille de l'internat, la seule qui compte désormais pour moi. Si jamais c'était également ton cas, je serais fou de bonheur. Alors, si ton cœur bat également pour moi, je t'en prie, dis-le-moi. Sinon, oublie je te prie cette lettre d'amour et n'en parlons plus. Je serai toutefois ton éternel ami.

Bien à toi, ton dévoué Mamadou.

Satisfait, Momo peut s'endormir sereinement. Il espère juste que Mamadou le sera également.

C'est le cœur empli d'appréhension que, le lendemain matin, Momo pénètre dans la salle du réfectoire où Mamadou lui fait aussitôt signe.

D'une main tremblante, Momo lui donne le feuillet que le garçon glisse fébrilement dans sa poche avant de s'isoler à une table.

De loin, Momo le voit lire la lettre et son visage semble exprimer une grande satisfaction.

– Hé, t'es un chef! lui lance-t-il même à travers le réfectoire, adressant un large sourire à Momo qui pousse un profond soupir de soulagement.

En sortant, Mamadou s'approche et lui dit :

– Tu es mon pote, Momo! Et tu sais ce que ça veut dire, être le pote de Mamadou?

Momo secoue la tête.

– Ça veut dire que jamais personne ici n'osera toucher au moindre de tes cheveux!

Même s'il ne pense pas que quiconque à l'internat lui veuille du mal, Momo le remercie vivement, puis détale aussi sec, soulagé.

Finalement, il s'en est bien sorti mais, à y réfléchir, l'exercice lui a semblé plutôt difficile. Jamais, se dit-il, il n'aurait osé écrire cela à Émilie ou à Luna. Mais après tout, il n'est encore qu'en début de cinquième. Peut-être que, lorsque lui-même sera en troisième, il sera amené à en rédiger, des lettres d'amour.

La deuxième semaine d'internat se termine comme par enchantement.

Momo, ravi de rentrer chez lui et de retrouver les siens, ne peut s'empêcher de se faire infiniment de souci pour ses nouveaux amis qu'il aime de tout son cœur. Il s'inquiète pour Bryan, qui va à nouveau être confronté à la violence de son beau-père et à la souffrance de sa maman; pour Marek, qui risque de passer le week-end tout seul chez lui; et même pour Luna, qui va devoir, durant ces deux jours, essayer de ramener ses parents à une attitude plus raisonnable.

Émilie ne l'a pas appelé de la semaine et Momo n'en a pas souffert. Il faut dire qu'il avait l'esprit tellement occupé qu'il aurait eu du mal à y caser la moindre pensée supplémentaire.

À peine rentré, il décide de lui téléphoner et de lui raconter les événements de l'internat. Mais il se rend compte que celle-ci ne l'écoute que d'une oreille, avec distance et détachement. Pour sa part, elle semble ne pas avoir grand-chose à lui dire et coupe rapidement court à leur conversation.

Vous voyez, monsieur Édouard, je savais que ce ne serait plus jamais comme avant, confie-t-il à son journal, *je savais qu'une fois Émilie partie, plus rien ne serait comme avant…*

Comme souvent, la voix de monsieur Édouard ne tarde pas à se faire entendre :

– C'est vrai, Votre Altesse, mais Émilie et toi êtes encore très jeunes. Vous n'avez pas eu le temps de tisser un attachement éternel. Et c'est tant mieux. La nature est ainsi faite. Vous auriez trop souffert sinon de la séparation. Vous garderez néanmoins chacun le souvenir de l'autre bien au chaud au creux de votre mémoire. Mais vos routes divergeront inéluctablement. Vous avez la vie devant vous… La preuve en est qu'en deux semaines vous avez, mon cher prince, noué de nouvelles amitiés, tout aussi importantes que celle qui vous avait attaché à Émilie.

Momo sait que monsieur Édouard a raison mais il n'en conçoit pas moins de la peine. Il avait cru qu'Émilie et lui ce serait à la vie, à la mort.

Quand il raconte à la famille réunie les malheurs des uns et des autres de ses camarades d'internat, madame Beldaraoui est consternée :

– Attends que je vais la voir moi et que je lui montre à la maman de Bryan comment se servir de la poêle pour donner quelques coups sur sa tête ! s'écrie-t-elle. Et à ton copain Marek, tu lui diras qu'il peut venir chez nous, la prochaine fois. C'est quoi cette maman qui ne s'occupe pas de son fils? Honte sur elle! s'indigne-t-elle.

– Et tu as une nouvelle amie? lui demande Yasmina.

Momo rougit en opinant de la tête.

– Elle s'appelle comment?

– Luna, répond Momo en souriant.

– Est-ce qu'elle est blonde comme Émilie?

– Mais laisse-le tranquille avec tes questions! intervient Fatima.

– Non, répond quand même Momo, elle est brune et ne ressemble pas du tout à Émilie.

Fatima est ravie. Momo a changé. Le voilà bien plus ouvert et sûr de lui. Finalement, l'internat lui convient parfaitement.

Quand il leur fait part de l'incident de l'alarme et de la manière dont il a sauvé son camarade de l'exclusion, elle en est émue aux larmes.

– Bravo! le félicite Mehdi. C'est bien, ce que tu as fait.

– Ben non, c'était normal! répond modeste-ment Momo.

Il n'a pas encore trouvé le moyen de parler à Mehdi en tête à tête et il brûle de pouvoir le faire. Il veut absolument savoir ce qu'il en est d'Ahmed.

Quand enfin ils se retrouvent tous les deux, Mehdi le rassure.

– Écoute, je n'ai pas réussi à le voir, mais apparemment il n'a pas fait des siennes. J'ai des contacts aux Bleuets qui le surveillent et ont promis de me tenir au courant de ses allées et venues. Et il n'y a visiblement pas de quoi s'inquiéter. Alors, tu l'oublies, Momo, d'accord? Et je te promets de te prévenir s'il y avait quoi que ce soit.

16

C'est donc complètement rassuré que Momo reprend le chemin de l'internat, le lundi matin, pour sa troisième semaine, et c'est avec la même joie qu'il retrouve ses amis.

Quand Bryan lui saute au cou en lui annonçant que son beau-père a enfin été interpellé pour coups et blessures volontaires sur sa compagne, Momo éprouve un immense soulagement. Apparemment, l'assistante sociale a tenu ses promesses avec une efficacité remarquable.

La mère de Marek était là cette fois pour s'occuper de son fils et lui a promis que la mésaventure du week-end précédent ne se reproduirait pas.

Luna a réussi à convaincre ses parents que, pour le confort de tous, il valait mieux qu'elle passe désormais le week-end entier chez l'un puis chez l'autre, et ils ont admis que ce serait tout de même plus facile.

Momo se dit que cette troisième semaine et les suivantes s'annoncent sous les meilleurs auspices.

Quand ils arrivent en classe, leur professeur principal leur annonce qu'il va leur falloir élire leurs délégués de classe et, pour cela, il lui faut des candidatures.

Plusieurs anciens lèvent aussitôt le doigt.

– Vas-y, toi, Momo! lui fait Bryan à l'oreille.

– Pas question! rétorque Momo. Je n'en ai pas envie.

– Mais si, intervient Marek, tu serais un super-délégué.

Momo secoue énergiquement la tête.

C'est alors à Luna de le presser:

– Ce serait bien qu'il y ait un nouveau parmi les délégués, argumente-t-elle.

Momo hésite. Il n'est pas sûr d'être à la hauteur.

– Allez, vas-y! insiste Luna en lui faisant lever le bras.

– Mohammed? Candidat? Parfait! déclare le prof. Maintenant, il va falloir vous présenter à vos camarades et les convaincre de la légitimité de votre candidature afin qu'ils puissent vous élire en leur âme et conscience.

– Maintenant, tout de suite? demande Kevin qui est également postulant.

– Oui, mais il s'agit juste de vous présenter en quelques mots et de parler de votre motivation.

– Mais c'est bon, m'sieu! intervient Kamal. On se connaît de l'année dernière. Kevin, il était déjà délégué.

– D'accord, mais il y a des nouveaux parmi les candidats. Et un regard neuf pourrait s'avérer utile.

– Il faut voter pour une fille et un garçon, ou peu importe? demande Anaïs.

– Pas nécessairement, mais pour la parité ce serait bien.

– Et pourquoi tu ne te présentes pas, toi aussi? suggère Momo à Luna.

– Tu veux? sourit-elle, ravie qu'il y ait pensé.

– Ben oui, ce serait chouette, non?

Luna lève aussitôt la main et le professeur ajoute son prénom au tableau.

Le moment est venu de se présenter.

Momo s'exécute avec tout le sérieux dont il est capable :

– Je m'appelle Mohammed Beldaraoui, je suis nouveau à l'internat d'excellence. Mais je suis très heureux d'être là, avec vous. J'aimerais qu'à la fin de l'année nous soyons tous des excellents et ce serait super d'y parvenir tous ensemble en s'aidant mutuellement. Car nous sommes tous là dans un seul but : réussir, mais l'union fait la force. Je serais très fier de pouvoir vous représenter auprès des profs.

Ses propos sont salués par un tonnerre d'applaudissements. Même le professeur semble surpris par la qualité du discours du jeune garçon.

– Il cause trop bien, Momo ! s'extasie Anaïs, soulevant les rires.

Ensuite, c'est le tour de Luna qui se contente d'affirmer qu'elle est en tous points d'accord avec Momo et qu'elle fera de son mieux, si elle est élue, pour les représenter.

Quand on procède au vote, Momo et Luna l'emportent haut la main.

Momo est ennuyé d'avoir pris la place de Kevin, mais celui-ci n'est pas rancunier.

– Pas de souci, déclare-t-il, beau joueur, en lui serrant la main.

Le lendemain, quand Amandine vient le chercher en plein cours de français, Momo a l'impression que son cœur lui tombe dans les chaussettes.

– Que se passe-t-il? demande-t-il, d'une voix tremblante.

– Je ne sais pas, Momo. Le proviseur veut te voir.

En franchissant la porte du bureau, Momo est sous le choc.

L'individu a beau lui tourner le dos, installé dans le fauteuil face au proviseur, il reconnaît aussitôt son frère Ahmed et ne peut s'empêcher de pousser un cri.

– Mohammed, entrez, n'ayez pas peur! veut le rassurer le proviseur, tandis qu'Ahmed se lève et lui adresse un sourire suintant la malveillance.

– Ah, petit frère! s'écrie-t-il en faisant mine de l'étreindre alors que Momo se raidit.

– Votre frère tenait à vous parler car votre maman…

– Elle est à l'hôpital! Elle veut te voir… l'interrompt Ahmed. Alors, je t'emmène. Viens, on y va!

Surpris par l'empressement d'Ahmed, qui s'est levé et a saisi son petit frère par le collet, et par l'attitude visiblement terrifiée de Momo, le proviseur décroche son téléphone et donne quelques instructions à sa secrétaire. Puis, revenant à Ahmed :

– Attendez, monsieur, vous ne m'avez pas dit que vous emmèneriez votre frère. Auparavant, il me faut vérifier que vous êtes sur la liste des personnes autorisées à le faire, lui dit-il.

– Mais c'est ma sœur qui m'envoie! hurle Ahmed, perdant toute contenance. Ma mère est à l'hôpital! On n'a pas de temps à perdre. Elle est en train de crever…

– Monsieur, s'insurge le proviseur, où vous croyez-vous? Surveillez votre langage, je vous prie.

Momo ne sait plus où il en est. Doit-il croire Ahmed? Doit-il le suivre? Non, Ahmed ment. Fatima l'aurait prévenu s'il était arrivé quoi que ce soit à leur mère.

Prenant son courage à deux mains, Momo s'adresse au proviseur :

– Monsieur, pouvez-vous s'il vous plaît appeler ma grande sœur, le supplie-t-il.

Alors que le proviseur compose le numéro qu'il lui dicte, Ahmed, comprenant que la partie est perdue, lâche son frère et se rue vers la sortie.

– Allô, allô ? s'impatiente Fatima au bout du fil.

– Mademoiselle Beldaraoui ? Excusez-moi, c'est le proviseur de l'internat de S…

Momo entend le cri d'angoisse que pousse sa sœur.

– Non, il n'est rien arrivé à votre petit frère, rassurez-vous ! Mais comment va votre maman ?

– Ma mère ? s'étonne Fatima. Parfaitement bien, mais pourquoi me demandez-vous cela ?

– Parce que votre frère aîné est venu chercher votre jeune frère…

Le cri que pousse Fatima est si strident qu'il retentit dans toute la pièce.

– Il l'a pris ? Il est parti ? hurle-t-elle en sanglotant.

– Non, calmez-vous, mademoiselle, Mohammed est là, à côté de moi. Il a refusé de le suivre.

Je vous le passe, mais il va falloir m'expliquer tout ça.

– Oui, oui, mais passez-moi d'abord mon petit frère, s'il vous plaît.

Momo saisit le combiné que lui tend le proviseur et murmure un «allô» douloureux.

– Momo, Momo, mon trésor, tu ne l'as pas cru, n'est-ce pas?

Momo a du mal à parler tant son cœur cogne fort dans sa poitrine.

– Non… Enfin, si. Quand il a dit que maman était à l'hôpital, je l'ai cru mais très vite j'ai vu qu'il mentait.

– Grâce à Dieu! Momo, sache que s'il arrive quoi que ce soit à la maison, c'est maman, Mehdi ou moi qui te préviendrons. Et jamais Ahmed. D'accord, mon cœur?

– Oui, Fatima.

– Maintenant passe-moi ton proviseur, s'il te plaît.

Celui-ci, sorti quelques minutes de son bureau, revient avec un dossier et Amandine, qui prend le jeune garçon par les épaules.

– Viens, Momo, tu es tout pâle. Suis-moi, lui dit-elle.

Tandis qu'il s'exécute d'un pas mécanique, encore choqué par ce qui vient de se passer, Fatima explique la situation à son interlocuteur qui l'écoute attentivement.

– Sachez que je dois porter plainte contre votre frère pour tentative d'enlèvement, alors.

– Je ne sais pas si cela marchera! soupire Fatima. Officiellement, il reste notre frère aîné, ce qui lui confère des droits…

– Il devrait pouvoir en être déchu, me semble-t-il. Mais le fait est qu'il ne figure pas sur la liste des personnes à prévenir en cas de nécessité et, donc, nous ne l'aurions pas laissé partir en emmenant Mohammed. Excusez-nous, mademoiselle. Ce genre d'incident ne se reproduira plus. J'y veillerai.

– Merci, monsieur. Mais occupez-vous de Momo, je vous prie. Il doit être très choqué.

– Nous allons prendre soin de lui, lui assure le proviseur avant de raccrocher, soulagé d'avoir pu éviter le pire.

Quand Momo revient en classe après s'être arrêté à l'infirmerie pour calmer ses frayeurs, il est encore extrêmement pâle.

– Eh, Momo, qu'est-ce qui se passe? ne peuvent s'empêcher de s'alarmer ses camarades.

– Rien… rien de grave! essaie-t-il de les rassurer, mais sa voix est si tremblante qu'il n'y parvient guère.

– Tu es sûr que ça va aller, Mohammed? s'inquiète même son professeur, constatant sa mine défaite.

– Oui, madame Pinson, ça va aller! déclare Momo en se redressant, tandis que Luna pose sa main sur la sienne en guise de réconfort.

Dès l'interclasse, Momo ne peut échapper aux questions de ses amis.

– Toi qui veux aider tout le monde, on a bien le droit de vouloir t'aider également! déclare Bryan.

– Il a raison, approuve Luna. Si tu nous considères comme tes amis, tu dois nous raconter ce qui s'est passé.

– C'est vrai! Il faut que tu nous le dises! renchérit Marek.

Alors Momo, touché par leur sollicitude, leur relate l'incident : la frayeur ressentie d'abord à l'annonce de l'hospitalisation de sa mère, puis la panique quand, comprenant la ruse de son frère, il s'est cru piégé.

– Mon pauvre Momo ! s'écrie Luna, bouleversée.

– Heureusement que tu ne t'es pas laissé faire ! déclare Marek.

– Dommage que t'avais pas la poêle à frire de ta mère ! s'exclame Bryan, ce qui fait rire tout le monde.

Dès qu'il le peut, Momo rappelle Fatima.

– Ne dis rien à maman, d'accord ? lui recommande-t-elle. Mais je te promets que Mehdi va mettre Ahmed hors d'état de nuire. Comment a-t-il osé se servir de la santé de maman pour te kidnapper ? C'est écœurant ! Je n'ose même pas imaginer ce qui se serait passé s'il avait réussi. Mon Dieu, j'en ai des frissons rien que d'y penser !

– Dis à Mehdi qu'il fasse attention, lui demande Momo, terrifié à l'idée qu'il puisse lui arriver quoi que ce soit. Il est dangereux, Ahmed, je te le jure. Si tu avais vu son regard, Fatima, il faisait peur, sur ma vie! Il y avait comme de la folie dans ses yeux.

– Ne t'inquiète pas, nous allons faire les choses légalement, cette fois. Mehdi a un ami avocat. On se charge d'Ahmed. Retourne à tes études, mon cœur, et oublie cette affaire, d'accord?

– D'accord, Fatima! lui promet Momo.

Depuis son arrivée à l'internat, c'est la première fois que Momo a hâte de voir la semaine se terminer afin de pouvoir retrouver les siens.

17

Momo peut être rassuré. Après l'incident de l'internat, Ahmed a disparu dans la nature. Sans doute craignait-il d'avoir des ennuis. Le fait est que la police n'a pas tardé à faire une descente dans sa planque. Mais il s'était envolé. L'ancien camarade de classe de Momo lui a affirmé qu'il savait de source sûre que son frère était reparti en Algérie et qu'il ne reviendrait pas de sitôt, à ce qui se disait dans la cité.

Puis la vie à Sourdun a repris son rythme, alternant entre cours, ateliers, études, contrôles, activités sportives et culturelles.

La dernière semaine avant les vacances de la Toussaint est entièrement consacrée aux examens blancs. Heureusement qu'il y a les ateliers pour se détendre un peu.

Le rythme est fatigant mais Momo ne se plaint pas. Au contraire. Il en redemande, tout l'intéresse, tout l'émerveille. Jamais encore il n'avait pu assister à des concerts de musique classique, à des opéras, à des pièces de théâtre.

Après une visite à la ville médiévale de Provins, Momo se prend de passion pour le Moyen Âge. En assistant au spectacle *Les Aigles des remparts*, il se souvient du livre lu l'année précédente, *Le Faucon déniché*, qu'il avait adoré. Et quand il faut rédiger un compte rendu de leur visite pour le journal, Luna et Momo s'y attellent avec joie.

Dès qu'ils le peuvent, Luna et lui se rendent au CDI. Il a pu ainsi se replonger dans l'étude des mots. Avec d'autant plus d'ardeur qu'il a réussi à communiquer cette passion à son amie. Elle est certes en retard sur lui mais elle se promet de le rattraper. Et voilà que Bryan et Marek s'y mettent, eux aussi. Leur assiduité finit même par intriguer la documentaliste. Mais lorsque Momo lui explique l'objet de leur étude, elle ne peut que les encourager à poursuivre. Désormais, les quatre amis se livrent à de véritables compétitions de définitions, leur jeu favori consistant à tirer des petits papiers sur lesquels figurent des mots dont ils doivent donner au plus vite la signification.

Madame Pinson est ravie de ce passe-temps inattendu et aimerait que toute la classe de cinquième y participe. Lorsqu'elle le propose à ses élèves, il y a certes quelques protestations, mais le fait de présenter l'exercice sous forme de jeu finit par séduire les plus réticents, et l'apprentissage des mots du dico devient vite leur jeu favori, donnant lieu à de véritables joutes verbales.

– Ce garçon, Mohammed Beldaraoui, est tout simplement surprenant! déclare leur professeur de français en riant, lors d'une réunion à laquelle participent tous les enseignants. Il a réussi l'exploit de donner le goût des mots et de l'étude à toute une classe!

– Oui, approuve le proviseur, s'il y en a un qui mérite le titre d'excellent ici, c'est bien lui.

– Il n'y a qu'en sport où il peine à se distinguer! modère le professeur d'EPS. Il a beaucoup de mal à toucher le volant au badminton.

Mais il y met, il est vrai, tant de bonne volonté que je ne peux lui en tenir rigueur, raille-t-il gentiment.

À la veille des vacances, les élèves sont convoqués par le proviseur pour un discours solennel. Celui-ci leur fait part de sa satisfaction pour la plupart d'entre eux mais aussi de sa déception pour certains, dont le comportement et les résultats ne correspondent pas aux attentes d'un internat d'excellence. Il cite des noms, et les intéressés passent un mauvais quart d'heure. Pour quelques-uns, le retour à l'internat après les vacances n'est pas garanti. D'autres écopent d'une lettre d'avertissement. Momo est désolé pour eux. Il aimerait pouvoir les aider mais il n'est pas magicien et ne peut résoudre à lui seul tous les problèmes de la planète.

Pendant les congés de la Toussaint, Momo essaie de rattraper le temps perdu. Il constate qu'il n'a pas beaucoup lu ni écrit. Il entreprend de relater dans le détail sa nouvelle vie d'interne à monsieur Édouard, qu'il regrette d'avoir quelque peu négligé.

Il passe aussi beaucoup plus de temps qu'auparavant en compagnie des jumeaux et de Yasmina, à qui il manque énormément.

Momo s'aventure même du côté des Bleuets, où il revoit avec plaisir ses anciens camarades de classe qui ne se lassent pas de l'entendre parler de l'internat en l'enviant secrètement.

Mais il n'appelle pas Émilie.

Les week-ends précédents, Momo n'avait pas tardé à percevoir dans l'attitude d'Émilie un manque croissant d'intérêt pour ce qu'il lui racontait. Alors qu'il s'appliquait à lui faire un récit détaillé de sa vie à l'internat, son amie finissait de plus en plus souvent par écourter leur conversation. Et quand, la dernière fois, il s'était abstenu d'appeler, Émilie n'avait pas réagi. Ni appel, ni texto, ni mail.

Le glas de leur amitié a donc sonné.

Momo ne peut s'empêcher d'en concevoir du chagrin. *Tout a une fin, Votre Altesse,* lui aurait affirmé Monsieur Édouard. Momo le sait mais n'en souffre pas moins.

Au retour des vacances, le 11 novembre, à l'initiative du professeur d'histoire, l'internat organise une cérémonie d'hommage aux anciens combattants de la guerre 1914-1918, avec dépôt de gerbe de fleurs et discours.

Momo est particulièrement ému durant la cérémonie. C'est la première fois qu'il assiste à une commémoration de ce genre et il ne peut s'empêcher de penser à Romain Gary, son écrivain préféré, qui s'était battu pour la France alors qu'il était immigré comme lui. Et Momo se sent fier, lui aussi, d'être français et un futur grand écrivain.

Et pour tenir ses promesses, Momo redouble d'efforts, entraînant ses amis dans son sillage.

– Il faut que nous devenions les plus excellents des excellents ! leur déclare-t-il.

La classe de cinquième ne tarde pas à se distinguer par ses bons résultats et un comportement exemplaire.

Même si elle suit désormais son rythme de croisière, la vie à l'internat n'a rien, pour autant, d'un long fleuve tranquille.

Du côté des filles, par exemple, éclatent souvent de vaines chamailleries qui agacent Luna.

Rivalités, jalousies, violences verbales et parfois physiques font partie de toute vie en communauté et, tout excellent qu'il soit, l'internat de Sourdun n'y échappe pas.

Mais Momo sait apaiser les tensions, servir de médiateur en cas de conflit, régler les différends, faire se réconcilier les ennemis. Il n'hésite jamais à donner de sa personne et est de plus en plus souvent sollicité.

– Toi, tu mériterais le prix Nobel de la paix! déclare un soir Bryan, aussitôt approuvé par la chambrée.

– Pourquoi ces applaudissements? demande Fred en venant leur souhaiter bonne nuit.

Mis au courant, le maître de maison approuve :

– Ce serait une bonne idée de décerner chaque année à un élève le prix Nobel de la paix de l'internat de Sourdun. Et toi, Momo, il n'y a aucun doute, tu serais notre premier lauréat.

Momo, Marek et Bryan sont devenus inséparables. On les appelle les trois mousquetaires. Les problèmes des uns et des autres se sont apaisés et ne viennent plus troubler leur quiétude, leur permettant de s'adonner complètement à leurs études.

L'idée du port d'un uniforme pour l'ensemble de l'internat dès la rentrée de janvier fait l'objet de vifs débats : il y a les pour et les contre.

Momo est plutôt favorable à cette idée. Il suggère même d'y ajouter le port du nœud papillon, ce qui fait hurler de rire ses camarades.

Pendant plusieurs semaines, il n'est plus question que de cela et nombreuses sont les altercations entre partisans et opposants.

Finalement, le oui l'emporte et, dès la rentrée de janvier, le port de l'uniforme sera obligatoire.

La fin du premier trimestre et les conseils se profilent déjà à l'horizon.

Momo est en tête de classe mais il sait qu'il ne peut se reposer sur ses lauriers. La concurrence est rude, à commencer par Luna qui le talonne de près. La même rivalité amicale que celle établie jadis avec Émilie s'est installée entre eux.

Au conseil de classe pleuvent les louanges les concernant, non seulement pour leurs résultats scolaires à tous deux, mais aussi pour leur comportement au sein de l'internat.

Pour la remise du premier bulletin de l'année, les parents sont invités à se rendre à l'internat afin d'en faire un moment solennel.

Tous font le déplacement, même la mère de Marek.

C'est la première fois que madame Beldaraoui se rend à Sourdun.

– Vous pouvez être fière de votre fils, madame! la congratule le proviseur. Il a les félicitations. Il est non seulement un excellent élève mais un interne exemplaire.

– Je sais, monsieur, je sais qu'il est comme ça, mon Momo! Il est gentil, très gentil, sourit-elle. Moi aussi, je lui donne les félicitations, tous les jours!

18

L'ambiance est survoltée.

Maintenant que les contrôles sont terminés ainsi que les conseils de classe, que les bulletins sont remis, on peut enfin penser à autre chose. Et cette autre chose n'est ni plus ni moins qu'un bal de Noël qui viendra clôturer la fin du trimestre et de l'année civile. Une fête entièrement organisée et gérée par les élèves.

Les jours suivants, tout le monde s'active. On nettoie, décore, installe.

On répète quelques saynètes, quelques morceaux de musique.

Mais Momo s'inquiète.

Il n'est jamais allé à un bal, n'a jamais dansé de sa vie. Or il aimerait le faire avec Luna.

Qu'à cela ne tienne : ses amis entreprennent de lui apprendre.

Alors, le soir, dans leur chambre, Bryan, Marek, Kamal, Kevin et même Fred lui montrent les pas et les gestes, ce qui donne lieu à de grandes parties de fou rire.

Du côté des filles, les préoccupations ont pour objet la tenue adéquate, la coiffure adaptée. On essaie, on échange les tenues, on critique et, là aussi, on rit beaucoup.

Le jeudi soir venu, chacun se met sur son trente et un, et Momo est heureux de pouvoir enfin arborer son nœud papillon.

Luna et lui ne quitteront pour ainsi dire pas la piste de danse de la soirée.

Tout comme Mamadou et l'élue de son cœur, qui a complètement succombé à la plus belle des lettres d'amour. C'est d'ailleurs d'une vigoureuse tape dans le dos, qui manque de le faire tomber à la renverse, que le jeune homme, reconnaissant, remercie une nouvelle fois Momo.

– Je vais t'envoyer des clients ! lui murmure-t-il même à l'oreille en riant.

C'est une fête mémorable que Momo décrira dans les détails à monsieur Édouard, une fois les vacances venues.

Quand sonne minuit, l'heure de regagner les dortoirs, Luna souffle à l'oreille de Momo:

– Tu vas me manquer, pendant les vacances! Si tu savais comme tu vas me manquer!

Pour ces deux-là, la séparation semble insupportable.

Trop ému pour dire quoi que ce soit, Momo se contente de serrer bien fort dans la sienne la main de son amie. Puis, s'enhardissant, il y dépose un léger baiser.

Une fois couché, Momo tarde à trouver le sommeil. Trop d'émotions et de réflexions s'entrechoquent dans sa tête. S'il arrive désormais parfaitement à faire la différence entre la nature de son attachement pour Marek et Bryan et ce qu'il ressent pour Luna, il a du mal à admettre qu'il est bel et bien amoureux.

Et quand enfin ses paupières s'alourdissent, ce sont les visages d'Émilie et de Luna qui se livrent à un ballet endiablé.

Le lendemain, c'est le départ, le retour chez soi pour les vacances.

Quand, arrivé à destination, Momo se lève pour descendre du car, il sent les larmes lui perler aux yeux. Heureusement qu'il fait déjà nuit et que cela ne se voit pas.

Il embrasse Luna et lui souhaite de bonnes vacances avant de se ruer vers la sortie.

Fatima est venue l'attendre avec Mehdi.

– Vous avez eu des nouvelles d'Ahmed? leur demande aussitôt Momo, revenant à d'autres réalités.

– Maman en a eu, répond Fatima. Il est retourné au bled, en Algérie.

– Ah bon, et il a appelé maman? s'étonne Momo.

– Non, c'est l'oncle qui l'a appelée pour le lui dire. Il voulait prévenir maman, c'est tout, pour pas qu'elle s'inquiète.

– Et maman est au courant de ce qui s'est passé à l'internat?

– Non, soupire Fatima. Ça lui aurait fait trop de peine, et elle en a bien assez comme ça. Elle est tranquille de savoir qu'Ahmed est en Algérie, elle pense qu'il ne pourra plus faire de bêtises. Elle a dit à l'oncle de bien le surveiller et même de lui trouver une femme! rit-elle.

– La pauvre, sa femme! rit Momo à son tour. Sincèrement, je la plains.

– Qui sait, peut-être en trouvera-t-il une qui le fera filer droit! remarque Mehdi.

– Ce serait trop beau… déclare Fatima.

– Le principal est que vous en soyez débarrassés! se réjouit Mehdi.

Puis, pour changer d'un sujet qu'il sait attrister tout le monde, il ajoute:

– Au fait, bravo, Momo! Fatima m'a dit que tu as eu les félicitations.

– Oui, encore bravo, mon cœur! Maman a déjà mis tout le quartier au courant! le prévient-elle en riant, ce qui a pour effet immédiat de dissiper sa peine.

Il est effectivement accueilli dans l'allégresse par sa mère, Yasmina et les jumeaux. Et comme chaque fois qu'il rentre à la maison, il se dit qu'il a bien de la chance d'avoir une famille comme la sienne, une vie comme la sienne.

Mais aussi des amis comme les siens.

Et Luna.

Pendant les vacances, Momo décide de rattraper son retard en lecture car force lui est de constater qu'il lit beaucoup moins qu'avant et qu'il lui faut se dépêcher un peu s'il veut réussir à lire tous les livres que monsieur Édouard lui a légués.

Alors, il passe des journées entières soit allongé sur son lit, soit assis dans la cuisine en compagnie de sa mère et ses sœurs, à qui il fait volontiers la lecture.

Et puis il retourne aux Belles Feuilles pour s'occuper de madame Ginette et de ses amis. Les vieux sont toujours tristes à Noël car ils se sentent encore plus abandonnés que d'habitude. Madame Ginette a confié à Momo qu'elle déteste les fêtes. La vieille dame lui fait beaucoup penser à madame Rosa de *La Vie devant soi*. Quand il leur a lu ce livre, tous les vieux pleuraient car ils se sont reconnus dans la tristesse de madame Rosa qui dit que les vieux c'est pas comme des chiens qu'on abandonne attachés à un arbre quand on n'en veut plus.

Madame Ginette ne sera pas seule pour Noël. Elle le passera avec les Beldaraoui. C'est Momo qui en a eu l'idée, même si, après l'avoir invitée, il a réalisé que ce ne serait pas facile vu que chez eux on ne le fête jamais et qu'ils ne savent pas du tout comment s'y prendre.

Sa mère a proposé de faire un couscous. Fatima a dit que les Français ne mangeaient pas de couscous à Noël mais de la dinde aux marrons et qu'elle trouverait la recette, que ça ne poserait pas de problème car la dinde, c'est permis.

Rachid et Rachida ont décidé de faire un petit sapin pour que madame Ginette ne se sente pas dépaysée, et Yasmina a suggéré qu'on lui achète un cadeau qu'on mettrait sous le sapin. Tout le monde était d'accord.

À la maison, les enfants Beldaraoui n'ont jamais eu de sapin, mais leurs parents leur ont toujours offert des cadeaux à Noël. Les cadeaux, disait leur papa, ça n'a rien à voir avec la religion. Il ne voulait pas que ses enfants soient différents des autres enfants de France, ce jour-là.

Et ce sera un très joyeux Noël pour la famille Beldaraoui, Mehdi et madame Ginette.

Mais il n'y a pas plus heureux que Momo quand arrivent le lundi de la rentrée… et tous les lundis suivants.

Épilogue

Cher monsieur Édouard,

Les semaines, les mois ont filé sans que je m'en aperçoive.

Et nous voici déjà presque à la fin de l'année scolaire.

Ma première année passée à l'internat.

Je pense que vous seriez très fier de moi. Mon papa aussi, d'ailleurs. Je sais que vous me voyez de là où vous êtes et je vous imagine tous les deux en train de danser de joie…

Il faudra que je pense à écrire une lettre à mon principal de l'année dernière pour le remercier de m'avoir permis de m'inscrire à l'internat d'excellence.

Je sais aussi que c'est un peu grâce à vous. Vous m'aviez dit qu'un prince doit consacrer du temps à son instruction car il n'y a rien de plus dangereux qu'un prince ignare. Et ça, je ne l'ai pas oublié. C'est vous qui m'avez donné confiance en moi et indiqué le chemin de la réussite que je peux suivre ici.

Bryan et Marek sont pour moi les meilleurs amis de la terre.

Quant à Luna, chaque instant passé en sa compagnie me console de la perte d'Émilie. Car Émilie, je l'ai bel et bien perdue à jamais. Les gens qu'on aime finissent toujours par nous quitter… C'est comme ça, c'est la vie. Je le sais, maintenant. Chaque fois que je pense à elle, et j'y pense encore très souvent, je me dis que c'est aussi un peu grâce à elle, enfin au déménagement de ses parents, si je suis là, et que finalement même les choses tristes peuvent avoir des conséquences heureuses!

Mais vous avez raison, jamais je ne l'oublierai, elle restera pour toujours dans mon cœur, ma première vraie amie.

Vous savez, je vais vous dire un truc que je ne pourrais confier à personne d'autre que vous : je crois que je suis amoureux ! Mais ne le dites à personne, surtout.

Luna m'a promis qu'elle resterait à l'internat au moins jusqu'à la troisième. Et je lui ai fait la même promesse.

Bryan et Marek resteront aussi.

Bryan vit seul avec sa mère maintenant. Son beau-père a interdiction de s'approcher de chez eux.

De son côté, la maman de Marek fait des efforts pour être là quand il rentre de l'internat. Mais elle lui a donné l'autorisation de venir passer un week-end sur deux chez nous. À la maison, tout le monde l'adore et maman dit qu'il fait partie de notre famille. Si vous voyiez comme elle fait attention à lui, lave et repasse son linge avec le mien, et lui prépare même des petits plats rien que pour lui.

Ce que je préfère, à l'internat d'excellence, c'est qu'on a le droit d'être de bons élèves et que tout le monde a envie d'être le meilleur. L'année dernière, dans mon ancien collège, c'était presque une honte.

Vous vous souvenez, monsieur Édouard, quand on s'est connus, vous m'aviez tressé une couronne pour faire de moi le petit prince des Bleuets. J'étais

petit, à l'époque, mais rudement fier de savoir que
je pouvais être un prince, même si ce n'était qu'à
vos yeux. L'autre jour, le proviseur m'a dit qu'avec
de tels résultats je mériterais une couronne de lau-
rier. Je n'ai pas trop compris mais je l'ai remercié
quand même, par politesse. Ensuite, je suis allé au
CDI chercher sur Internet ce que cela signifiait et
j'ai appris que, chez les Grecs et les Romains, on
couronnait de laurier les poètes et les vainqueurs.
Au Moyen Âge, on posait sur la tête des savants
une couronne faite de rameaux de laurier et de
baies. Il paraît même que c'est de là que vient le
*mot «baccalauréat» (*bacca laurea *qui veut dire*
«baie de laurier»).

Il s'est passé tant de choses depuis ce jour où je
vous ai vu sur ce banc. J'ignorais alors que vous
alliez devenir la plus belle rencontre de ma vie.
Grâce à vous, cher monsieur Édouard, je sais que
je peux aller au bout de mes rêves et devenir un
grand écrivain français. Grâce à mon papa, éga-
lement, qui avait confiance en moi, mais aussi à
ma grande sœur Fatima et à ma mère.

Au printemps, Fatima et Mehdi se sont mariés.
C'était un si beau mariage, monsieur Édouard,

nous étions si heureux! Surtout que j'avais pu y inviter mes amis, Bryan et Marek, et même Luna qui a plu à toute la famille. Et cette fois, Ahmed était bien trop loin pour venir gâcher la fête.

Mais il faut que je vous parle de lui.

La semaine dernière, Maman a reçu un appel de notre oncle, d'Algérie. Il pleurait au téléphone. Il lui a annoncé la mort d'Ahmed dans une bagarre avec des voyous. Une sale histoire… Maman a hurlé et pleuré beaucoup. Fatima et elle sont parties pour l'enterrement. À leur retour, Fatima a déclaré qu'il fallait effacer la haine de notre cœur, qu'il serait toujours notre frère et qu'elle souhaitait la paix à son âme.

Je me dis qu'Ahmed a rejoint papa et qu'il a intérêt à se tenir à carreau, maintenant.

Je regrette de ne pas avoir pu vous écrire aussi régulièrement que je le voulais, mais le soir, à l'internat, je suis si fatigué que je n'en ai pas la force.

Vous savez, j'ai beaucoup changé. La vie à l'internat m'a permis de me lier d'amitié avec des garçons de mon âge, ce qui ne m'était jamais arrivé, et même avec des plus grands, comme

Mamadou, un élève de troisième, qui m'a demandé d'écrire une lettre d'amour à une fille de sa classe.

Je me suis rendu compte que j'étais capable d'aider plein de gens et c'est la chose la plus agréable que je connaisse. Mais tout cela c'est grâce à vous qui m'avez appris qu'un bon prince doit se faire aimer de ses sujets.

Je parle souvent de vous à Luna. Je lui ai raconté toute notre histoire. À la fin, elle m'a demandé :

– Mais si toi tu es le petit prince des Bleuets, je suis qui, moi ?

– Je ne suis plus le petit prince des Bleuets, lui ai-je répondu. Mais n'empêche que toi, tu seras toujours la princesse de mon cœur.

Cette année, pour la première fois, nous allons partir en vacances. C'est Mehdi qui nous emmène en Bretagne. Fatima et lui ont loué une maison au bord de l'eau. Je suis trop content de voir la mer en vrai pour la première fois de ma vie.

Voilà les dernières nouvelles, monsieur Édouard.

Je vous promets d'essayer de vous écrire plus souvent pendant les vacances et de continuer à tout vous raconter.

Et j'ai décidé que mon premier roman, c'est à vous que je le dédicacerai.

Et savez-vous quel en sera le titre? Momo, petit prince des Bleuets, *bien sûr!*

Votre dévoué Momo.

Du même auteur

Aux éditions Syros :

Un arbre pour Marie, coll. «Tempo», 2003

Momo, petit prince des Bleuets, coll. «Tempo», 2003

Momo des Coquelicots, coll. «Tempo», 2010

Chez d'autres éditeurs :

Un grand-père tombé du ciel, Casterman, 1997

La Promesse, Père Castor Flammarion, 1999

Le Professeur de musique, Casterman, 2000

Hé, petite !, La Martinière, 2003

L'Ami, Casterman, 2003

Tant que la terre pleurera, Casterman, 2004

La Bonne Couleur, Casterman, 2006

J'ai fui l'Allemagne nazie, Gallimard, 2007

Suivez-moi-jeune-homme, Casterman, 2007

Une grand-mère comment ça aime ?, La Martinière, 2008

Albert le toubab, Casterman, 2008

Le Garçon qui détestait le chocolat, Oskar, 2009

Libérer Rahia, Casterman, 2010

Rue Stendhal, Casterman, 2011

L'auteur

Yaël Hassan est née en 1952 à Paris. Après avoir passé son enfance en Belgique, son adolescence en France, puis une dizaine d'années en Israël, elle revient s'installer en France avec son mari et ses deux filles. Elle y poursuit sa carrière dans le tourisme jusqu'en 1994. Victime d'un accident de voiture, elle mettra à profit le temps de son immobilisation pour écrire son premier roman, *Un grand-père tombé du ciel*, qui sera suivi d'une trentaine d'autres romans pour la jeunesse.

Dans la collection
tempo

Dans la collection
tempo+

Loi n° 49 956 du 16 juillet 1949
sur les publications destinées à la jeunesse

Mise en pages : DV Arts Graphiques à La Rochelle
N° d'éditeur : 10184495 – Dépôt légal : avril 2012
Imprimé en France par Jouve. - N° 872691C